이상한 나라의 다이어트

다이아트

다이어트 전문 상담가다. 100여명의 회원을 상담한 경험을 바탕으로 이 책을 집필했다.

과학적인 지식과 현실적인 조언을 통해 다이어트를 효과적으로 이끌어내는 방법을 제시한다. 건강한 삶의 중요성을 강조하며, 독자들이 자신의 몸과 마음을 존중하고 건강한 선택을 할 수 있도록 도와준다. 이 책은 과학적인 지식과 실용적인 조언을 결합하여 독자들에게 현실적인 변화의 가능성을 보여준다.

이상한 나라의 다이어트

전문가가 알려주는 '진짜' 다이어트 비법

다이아트 지음

차례

———— Part. 1 ————

———— Part. 2 ————

Part. 3

Part
1

오늘 아침 거울 속 얼굴은 당신의 진짜 얼굴이 아닐 수 있다

내가 처음으로 의뢰를 받아 감량을 진행했던 회원은 165cm 정도의 키에 90kg이 조금 넘는 체중을 가진 여성이었다. 첫 대면 상담 때 인상적이 있던 건 마주한 그녀의 살찐 얼굴이었는데, 눈, 코, 입이 약간 파묻혀있어서 어떤 인상인지 파악하기 좀 어려운 포동포동한 얼굴이었다. 그런데 둥그런 인상과는 달리 상담은 매우 힘들었는데, 이제껏 실패했던 그녀의 경험담과 하소연을 꽤 오랜 시간 들어야 했기 때문이다. 게다가 내 질문에는 연신 성의 없이 대답하는 데다가 '내가 이런 것까지 해봤는데 너라고 별수 있겠냐'는 무언의 무시까지 느껴졌기 때문에 첫 회원이라는 설렘과 책임감은 고사하고, 걱정과 불안 속에서 상담을 마쳐야 했다.

그런데 예상과 달리 막상 감량을 시작하고 나서는 제법 어려운 매뉴얼과 지시들을 생각보다 잘 지켜나가길래 적잖이 당황

할 수밖에 없었다. 불편한 미션들도 꼬박꼬박 잘 수행하고, 소통도 나름 원활한 편이길래 내가 괜한 선입견을 가졌던 건 아닌지 미안함을 느끼면서도 한편으론 무슨 속셈이 있는 건 아닐까 하는 의심에 머리가 복잡해질 어느 즈음이었다.

3번째 중간점검을 해야 할 때가 돼서 미팅을 요청했는데, 갑자기 평소와 다르게 이런저런 이유를 대가며 연락을 자꾸 피하더니 급기야 대안으로 약속했던 현재 체중이나 사진마저 보내지 않길래 나는 그때부터 무언가 불안한 심증을 갖기 시작했다. 그도 그럴 것이 보통 이쪽 업계에서 대상자가 매뉴얼에서 이탈하는 건 너무나 흔한 일이었고, 그럴 경우 대부분 이렇게 연락이 점점 두절되는 패턴을 보이기 때문이었다.

이럴 땐 내가 앞으로 진행해야 할 남아있는 의무가 상대방에겐 오히려 큰 부담이 될 수 있기 때문에 언제부턴가 점점 전화나 문자같은 관리 매뉴얼의 횟수를 줄여나가기 시작했던 것 같고, 그로부터 열흘 정도가 지난 후부터는 아예 더 이상 연락을 안 했던 것 같다.

그렇게 그 뒤로 한 달 정도의 시간이 더 흘렀을 어느 무렵이었다.

어느 날, 갑자기 핸드폰이 울리길래 발신자를 확인했더니 그녀의 이름이 떠있었다. 그때 순간 아차 싶어서 재빨리 달력부터 확인했지만, 내 표정은 금세 어두워졌다. 그녀의 프로그램 종료일이 이미 한참이나 지나버린 상황이었고, 당연히 종료가 됐다는 통보와 함께 향후 유지를 위한 관리사항들을 전달해줘야하는 최소의 의무사항마저 놓쳐버린 것이었다. 혹시 분노에 가득 찬 항의를 쏟아낼지도 모른다는 걱정에 조심스레 전화를 받았는데, 나의 예상과는 전혀 다르게 오랜만이라서 반갑다는 상냥한 인사와 저녁에 시간이 괜찮냐는 조심스러운 뜻밖의 질문이 넘어왔다.

목소리마저 예상을 한참 빗나간 친절한 말투라서 다소 복잡해진 나의 머리는 잠시 후 한 가지 이유를 찾아냈다. 그녀는 분명히 프로그램의 이수는 실패했지만, 어느 정도 실제 감량이 된 걸 확인했기 때문에 다시 처음부터 시작해보고 싶은 것이었다.

의뢰인의 종료일마저도 잊고 있었던 나에게 뜬금없이 식사를 대접하고 싶다는 이유는 그것밖에 없었기 때문에 얼마나 감량을 했냐는 불편할 만 한 질문은 접어둔 채 부랴부랴 뛰어나갔다. 그런데 내가 약속시간보다 좀 늦어서 도착을 했음에도 불구하고, 그녀의 모습은 좀처럼 보이지 않았다. 그래서 전화를 몇 번 했는데도 전화까지 받지를 않는 것이었다. 그렇게 가만히 십 몇 분을 기다리다가 다시 전화를 했는데도 역시 받지 않길래 혹시 무슨 일이 생긴 건 아닌지 걱정스러운 표정으로 자리에서 일어나 주위를 다시 한번 두리번거렸을 때였다. 무슨 이유인지 저쪽 대각선 방향에 혼자 앉아있던 여자가 나를 빤히 한번 쳐다보더니 무슨 영문인지 갑자기 배를 잡고 웃는 것이었다. 그것도 그냥 웃는 게 아니라 식당에 있던 사람들이 모두 쳐다볼 만큼 크게 박장대소를 하는 것이었다.

그녀는 상당한 미모였는데, 언제부터인가 계속 저쪽 테이블에서 자꾸만 내 쪽을 홀깃홀깃 쳐다보길래 내가 아는 누구와 닮았나 하고 생각하고 있던 참이었다. 몇 번 눈까지 마주쳐서 내가 자꾸 시선을 피해야 했던 민망한 상황이었기에 나를 바라보며 박장대소를 하는 그녀의 웃음은 나에겐 상당한 당황스러움이었다. 그렇게 한참을 웃던 여자가 어느 정도 진정을 했을 때였다. 그녀가 갑자기 대뜸 나에게 다가와 '쌤'이라고 부르며 아는 척을 했을 때, 내 머릿속은 상당히 복잡했다. 아무리 기억을 재빨리 돌려봐도 난생처음 보는 여자였기 때문이었다. 그런데 지금 이 상황에서 나에게 쌤이라고 부를 수 있는 사람은 오직 한 명뿐이었다. 그렇게 정답은 이미 나와있음에도 불구하고, 내 눈과 나의 머리는 서로 합의점을 찾지 못한 채 그 자리에서 10초 정도를 멍하니 서있어야 했다. 정말 10초 정도를 그녀만 멍하니 뚫어져라 쳐다만 봤다. 그런데 잠시간이 지난 뒤에 그 얼굴에서 정말 실낱 같은 낯익음이 스치듯 발견됐다.

그렇다.

그녀였다.

그녀는 자신을 못 알아보는 나의 모습을 이제껏 멀찍이 몰래 앉아서 조용히 즐기고 있던 것이었다.

날씬하다기보단 적당히 건강해 보이는 볼륨 있는 몸매였는데, 그런 것 따위는 전혀 상관없을 만큼 이미 얼굴부터가 완전히 작아져 있었다. 갸름해진 턱 선부터 약간 고혹적으로 깊게 들어간 눈매와 일직선으로 뻗은 콧날, 그리고 단아한 이마 선까지 예쁘고 선명한 이목구비가 그대로 드러나 전혀 다른 얼굴이 돼

이상한 나라의 다이어트

있었다.

　나에게 했던 짓궂은 장난은 이미 그녀가 사람들을 만날 때마다 늘 해왔던 일종의 재미있는 놀이가 되어있던 것이다. 그녀는 중간에 한번 심한 고비를 만나서 매뉴얼을 잠시 이탈하긴 했었는데, 내가 그만 선입견을 갖고 이미 포기를 해버렸지만, 그녀는 그런 것과는 상관없이 다시 묵묵히 이제껏 프로그램을 혼자 진행해 왔던 것이다.

　이날, 연신 해맑은 그녀의 표정과 분위기는 첫날 상담했던 것과는 완전 정반대였는데, 식사를 하는 내내 그녀가 신나서 떠드는 내용은 전혀 귀에 들어오지 않았고, 오로지 첫 상담 때와 너무나 다른 이질적인 모습 때문인지 이제는 내가 반대로 묻는 질문에 건성건성으로 대답을 하게 됐다.

　그녀가 감량에 성공하고 나서 제일 당황했던 건 사람들이 자신을 대하는 게 조금 달라졌다는 것인데, 새로운 사람들을 조금씩 소개받으면서 뜻하지도 않았던 기회들까지 생겼다는 약간 들뜬듯한 얘기를 듣고 왠지 미안하면서도 대견하기도 한 복잡 미묘한 기분을 느끼게 됐다.

　이날의 충격적인 장면은 아직까지도 생생한데 어떻게 저렇게 매력적인 얼굴에 해맑고 활기찬 표정을 그 오랜 세월 동안 숨기며 살아왔던 것인지, 그 시간 동안 얼마나 많은 손해를 보며 살아왔을지, 참으로 다행이라고 생각하면서도 한편으론 아련한 안타까움과 씁쓸한 기억으로 남게 됐다.

　문제는 그 아련한 안타까움을 아직까지 길거리를 걸어 다니는 사람들에게서 느끼고 있다는 것이다. 그 후로 길거리에 나가기만 하면 '저 남자는 조금만 빼면 진짜 괜찮은 얼굴일 텐데' '저 여학생은 5kg만 빼도 진짜 예쁜 얼굴일 텐데' 하며 황당하게도 사람들의 살찐 얼굴이 어디까지 변할 수 있을지 감정을 하며 안타까워하는 후유증을 겪기 시작했다.

그렇게 길거리를 걷다 보니 생각보다 많은 사람들이 자신의 진짜 얼굴을 숨긴 채 살아가고 있다는 걸 알게 됐다. 정말 많은 사람들이 오늘 아침에 마주한 거울 속의 얼굴을 자신의 진짜 얼굴이라고 착각하며 살아가고 있는 것이었다.

현재 나의 통계상 진짜 자신의 얼굴로 살아가는 사람은 불과 절반도 되지 않고, 나머진 원래보다 좀 더 크거나 아예 깊이 숨겨버린 채 전혀 다른 얼굴로 살아가고 있다. 단지 3kg만 쪄도 자신의 인상이 많이 달라질 수 있다는 걸 잘 알지 못하는데, 그것도 어쩔 수가 없는 게 변해가는 자신의 얼굴을 눈치챈다는 게 생각보다 어려운 일이기 때문이다. 그 과정은 매우 천천히 진행되기 때문에 매일 거울을 보는 본인을 비롯해 매일 같이 옆에서 일하는 직장동료들도 잘 감지할 수 가없는 상황이라서 심각함을 인지한다는 일이 그리 쉽지만은 않다.

편한 친구나 지인을 오랜만에 만나야 약간 당황한 표정과 함께 '좀 쪘네?' 하는 소리를 듣고 그나마 조금 인지를 할 수 있을 뿐이다.

하지만 그런 일종의 경고음들을 몇 번 대수롭지 않게 넘기다 보면, 어느새 돌이키기 힘들 만큼 부풀어버린 전혀 다른 자신의 얼굴을 어느 날 화장실 거울에서 발견하게 된다.

하지만 이리저리 얼굴을 한번 돌려보고 크게 뭔가를 바꿔야 한다는 경각심 같은 건 없이 그저 세월의 흔적이라고 자신을 위로하곤 별 대수롭지 않게 세면대에 얼굴을 파묻어버린다.

그리고 어느 날 우연히 얼굴이 갸름했던 자신의 옛날사진이라도 한번 보게 된다면, 내 얼굴이 이럴 때도 있었나 하고 감탄하면서도 한편으론 쓸쓸한 복잡 미묘한 기분을 느끼게 된다.

물론 당사자도 이런저런 방법들을 써가며 노력을 해봤겠지만, 본인에게 한 달이라는 마법의 기한이 있다는 건 알지 못했을 것이다.

누구든 심각하다고 깨달은 시점부터 한 달의 기한을 넘겨버리면, 애초에 활활 타올랐던 그 의지는 보통 절반 정도로 줄어든다.

그리고 이 과정을 매년 반복할수록 시도할 때마다 주먹을 불끈 쥐었던 힘은 남은 절반에서 다시 절반으로 줄어만 간다.

그러다 훗날 모든 에너지가 소진되어 바닥이 드러나면,

나중엔 결국 아예 시작조차 할 수 없는 의지가 돼버린다.

그런데 진짜 무서운 건 서서히 커져가는 그 사람의 얼굴이 언제부턴가 자신의 원래 얼굴이라고 적응을 하기 시작한다는 것이다. 매일 점점 커져가는 거울 속 얼굴을 전혀 의심하지 못하고, 그대로 옛날 본연의 얼굴을 까맣게 잊어버린 채 살아가게 된다.

그리고 그렇게 몇 년을 더 방치하게 되면, 이젠 비만 때문에 어떤 불이익을 겪거나 불편함을 느끼더라도 감량의 필요성에 대해 점점 무감각해지기 시작한다.

그때는 아무리 심각한 상황이라고 인지해도 애초에 느꼈던 10에 비하면 1도 안 되는 에너지밖에 끌어올리지 못하는 데다, 다이어트 자체에 이미 상당한 불신이 쌓여있기 때문에 나중엔 그냥 될 대로 되라고 포기를 해버리는 위험한 선택을 하게 된다.

그래서 오랫동안 비만을 방치해 온 사람들은 옆에서 누가 아무리 큰소리로 설득을 한다 해도 어지간해선 꿈쩍도 하지 않는다는 특징을 가지고 있다.

이렇게 비만은 처음 한 달을 넘겨버리면, 그 뒤로는 매번 성공 확률이 절반씩 줄어드는데, 억울하게도 이 중요한 기한을 이렇게 쉽게 넘겨버리는 건 당사자들의 잘못이 아니라 그렇게 빨리 해결해 줄 수 있는 방법이 애초에 우리에게 존재하지 않았기 때문이다.

일반적인 대상자들이 감량에 초 집중할 수 있는 시간은 3개월이나 2개월도 아닌, 불과 한 달 남짓이라서 주어진 이 짧은 시간 안에 모든 걸 해결해야 일말의 성과라도 볼 수 있지만, 아쉽게도 우리에겐 최소 3개월 단위의 상품이나 프로그램들밖에 존재하지 않았다.

이런 이유 때문에 우리의 머릿속에도 '그래도 최소 세 달은 해봐야지 뭐라도 되지 않겠어?' 하며 생각하는 공식까지 자리 잡혀버렸다.

정말 많은 대상자들이 반복하고 있는 이 패턴은 매우 심각한

이상한 나라의 다이어트

문제인데도 이걸 인지하고 있는 사람은 전문가나 대상자 할 것 없이 많지 않다.

그러므로 만약 어떤 전문가나 프로그램이 누군가를 성공적으로 감량시키고자 한다면, 빠지는 방법이나 가격을 펼쳐주기보다는 우선 대상자 내면의 의지부터 들여다봐야 할 것이다.

그 대상자에게 남아있는 의지를 서로 꺼내보고, 그 남아있는 자원을 이용해 한 달 안에 우리가 어느 정도의 결과를 만들어낼 수 있을지 의논하고 대화를 해야 한다.

운동부터 하라고 막무가내로 덤벨을 건넨다는 건 펑크 난 타이어에 바람을 넣는 것이나 다름없다.

대상자들 역시 비만을 하루 동안 방치하게 되면, 반드시 감량은 이틀이 멀어진다는 나의 통계를 보고 마음을 다잡기 바란다.

지금 여러분의 얼굴은 진짜 자신의 얼굴이 아닐 확률이 높다. 정말 말도 안 되게 멋진 얼굴이 숨어있는 경우도 있는데, 그런 얼굴을 숨기고 산다는 게 자신에게 얼마나 억울하고 큰 피해와 손해가 되는지 알지 못하고 있다.

이상한 나라의 이상한 시간 - 낮 12시

내가 가장 많이 받았던 질문이 어떻게 하면 살이 빠지냐는 것이다.

그러면 나는 1초의 망설임 없이 배고프지 않을 때 안 먹으면 된다고 대답해 준다.

어찌 보면 대답 같지도 않은 이 성의 없는 짧은 답변에 상대방은 어이가 없다는 듯 허탈한 웃음을 짓는다.

하지만 그 허탈한 웃음이 얼마 지나지 않아 조금씩 굳어지는 경우가 종종 있다.

배고프지 않은데도 먹어왔던 자신의 장면 장면들이 생각보다 많이 떠오르는 것이다.

실제로 많은 이들이 배고프지 않을 때도 먹고 있으면서 도대체 왜 찌는지 모르겠다고 하소연을 하는 경우가 많다.

방금 전의 대화는 10초도 안될 만큼 짧지만, 우리에게 시사하는 바는 상당히 크다.

이 당연한 상식을 모두 다 이미 알고 있으면서도 자신이 왜 찌는지 모르겠다고 하소연을 하는 아이러니한 상황 속에서 우리는 살고 있다.

전국에 있는 모든 사람들이 낮 12시만 되면 거리로 쏟아져 나온다. 하루 중에 유일하게 전국적으로 정해진 합법적인 음식섭취 시간이기 때문이다.

그 중엔 어젯밤 야식을 많이 먹었거나 오늘 아침을 많이 먹어서 아직 배가 든든한데도 별로 개의치 않고, 직장동료나 상사를 따라 식당으로 향하는 경우도 많다.

모든 면죄부가 주어지는 낮 12시이기 때문이다.

지금은 별로 배고프지 않아서 오늘 점심은 한번 거르겠다고 냉정하게 거절하는 경우는 보기 힘들다.

우리나라를 넘어 전 세계적으로 통용되는 이 절대시간에 수십억의 인구가 동시다발적으로 알람이 맞춰진 시계의 태엽처럼 일정하게 음식을 집어넣으며 필요 없는 살 찌우기를 하고 있다.

그것만으로도 심각한데 우리는 눈을 뜬 아침부터 눈을 감는 밤까지 커피 한잔부터 떡이나 케이크, 과자 등 수없이 많은 음식의 권유를 받게 되고, 그걸 아무 생각 없이 예의상 받아먹으며 하루를 보내고 있다. 물론 받아먹는 사람은 그다지 배가 고프지 않은 상황일 때가 많은데, 우리 몸은 결코 이런 음식을 달가워하지 않고 오히려 괴로워한다.

몸의 입장에서 볼 때는 심지어 잔인하다고 생각할 만큼 우리는 수시로 음식을 집어넣고 있다.

이렇게 하루 종일 꾸준히 먹기 때문에 정작 배고픔을 느낄 겨를도 없다. 기억을 못 할 뿐이지 심지어 하루 종일 배고픔을 단 한 번도 느끼지 않고 먹은 적도 있을 것이다.

심지어 이따 배고파질 테니까 미리 먹어두자는 생각으로 먹는 경우까지 있는데, 모두 자신이 가짜 배고픔의 그물 속에 갇혀 있다는 사실을 모른 채 음식이 조종하는 대로 섭취행위를 하는 무의식적인 행동을 하고 있는 것이다.

너무 지나친 억측이나 비약적 표현이 아니냐고 할 수 있겠지만, 이 이상한 나라의 책은 모두가 사실이라는 걸 알려줄 것이다.

몸의 입장에서는 배고프지 않을 때 먹지 않는 건 '선택'이 아니라 '필수'다. 그때 음식을 먹는다는 건 모두 지방으로 저장된다고 생각해도 무방하다. 그런데도 이런 잔인한 선택을 우린 별 대수롭지 않게 자주 하기 때문에 비만은 어찌 보면 당연한 결과라 할 수 있다.

이렇게 우리는 현재 우리의 몸과 전혀 대화를 하지 않고 그저 뇌가 만들어내는 본능에만 충실하고 있는데, 이제 우리는 뇌가 아닌 우리의 몸과 이성적인 대화를 해야 할 시점이 됐다. 12시가 되더라고 우리 몸이 동의하지 않는다면, 필요 없는 식사를 과

감히 거절하는 결단력이 필요하다.

그게 그렇게 쉽냐고 얘기한다면, 나는 이건 앞으로 가야 할 열 걸음 중에 고작 한걸음도 안 된다며 허탈한 웃음을 지을 것이다.

뇌가 맛을 느끼며 즐거움을 느끼는 만큼 몸은 비대해지고, 반대로 맛을 느끼지 않는 심심한 상태일 때 몸은 비로소 날씬해진다는 나만의 절대공식이 있기 때문에 우리는 잠시 광란의 파티를 하는 뇌를 따로 격리시키고, 이제는 몸과 대화를 해야 할 때가 됐다.

그러면 그간 쌓아왔던 울분을 토로하는 몸의 하소연을 들을 수 있을 것이다. 만약 우리가 자신의 몸과 수시로 대화를 하며 '가벼운 선택'을 '냉정한 필수'로 바꿀 수만 있다면, 여러분은 반드시 놀라운 변화를 겪게 될 것이다.

방금 전의 낮 12시 이야기처럼 이 책을 접하다 보면, 마치 앨리스가 토끼 굴에 빠져 이상한 나라를 경험하는 동화속 이야기처럼 낯설고 기묘한 기분을 종종 느끼게 될 것이다.

필자인 내가 써놓고 봐도 신기하고 이상하다고 느껴지는데 여러분은 오죽하겠는가. 하지만 나에게 다이어트만큼은 카드병정과 정장을 입은 토끼가 사는 세계가 오히려 현실이라고 느끼고 있고, 반대로 지금 우리가 살고 있는 이 현실세계를 동화 속 이상한 나라라고 인식하고 있다. 이러니 여러분과 나는 이 책 속에서 계속 서로를 이상하다는 눈으로 마주 바라볼 수밖에 없을 것이다. 이 두 세계의 경계선을 넘는다는 건 결코 쉬운 일이 아니기 때문에 이 한 권의 책이 어느 정도의 마법을 만들어낼지는 모르겠지만, 이 이야기를 어떻게 받아들이냐에 따라서 누군가에겐 한 편의 재미있는 동화책이 될 수도 있고, 누군가에겐 수천만 원의 가치를 가진 비법서가 될 수도 있을 것이다.

최소 내가 다녀온 세계는 저탄고지나 원푸드, 황제와 같은 허상만을 좇는 동화 속의 언어가 없이 카드병정에게 쫓기다가 하얀 토끼의 도움을 받아 결국 감량이라는 하얀 여왕과 만나 전혀 다른 사람으로 변하게 되는 실제 아름다운 마법 같은 스토리들이 있기 때문이다.

이상한 나라의 다이어트

이상한 나라의 다이어트 상식은 오히려 우리의 살을 찌우고 있다

건강한 상태를 유지한다는 전제조건하에서 한 사람의 체중을 줄인다는 건 수술대 위의 지방흡입술보다도 훨씬 복잡하고 어려운 영역이다. 그만큼 우리 주위에서 건강한 다이어트를 찾기란 결코 쉬운 일이 아니다.

수천만 원이라는 거금과 시간을 들여가며 한약, 양약, 단식원, 헬스에 원푸드, 황제, 키토까지 정말 수십 가지의 다이어트 방식들을 실제로 내 몸에 직접 실험해 본 결과, 건강한 상태를 유지하며 안전하게 감량이 되는 경우는 거의 없었고, 대부분 진행 중간에 급격한 탈모나 시력저하, 부종과 같은 갖가지 생리적 변화나 부작용을 겪으며 중단해야 했던 적이 대부분이었다.

이 문제를 풀기 위해 적지 않은 시간과 노력을 던져가며 나름의 유의미한 데이터를 만들었지만, 가장 힘들었던 건 황당하게도 각 분야의 많은 전문가들과 부딪히며 치러냈던 힘겨운 싸움이었다.

이 문제의 해답을 찾기 위해선 여러 분야의 전문가들의 자문과 협력이 필요했지만, 그 과정에서 그들은 나의 생각과 잦은 충돌을 겪어야만 했다.

하루에 몇 끼를 어떻게 먹어야 되는지부터 물은 어떻게 마셔야 되는지 세 명의 전문가의 의견이 모두 달라서 당황했는데, 왜 서로 같은 방향을 보지 못하고 서로 충돌만 하는 건지 하도 이상해서 그 싸움의 본질을 들여다보니 당황스럽게도 아직까지 자신의 몸이나 다른 사람에게 실제 임상을 해보지도 않은 채 단지 관찰하는 방식으로만 진행해왔던 오래된 관찰연구 결과들을 전달만 해주고 있다는 결론과 마주해야 했다.

아쉽게도 그곳엔 실제 실험을 해본 결과값은 없고, 전문지식에 의해 짜 맞춰진 복잡한 이론만 있을 뿐이었다.

더불어 자신의 지식에 대항하지 말라는 무언의 호통도 종종 들어야 했는데, 재미있는 건 일반 대상자들에게서도 비슷한 호통을 듣는다는 것이었다.

그만큼 우리의 다이어트 상식은 전문가들에 의해 이미 우리의 의식 속에 깊숙이 자리하고 있어서 가령 감량 중에 운동은 절대 하지 말아야 한다는 주장은 마치 정신나간 외계인의 말처럼 취급되는 지경에 까지 이르게 되었다.

하지만 실제 다이어트 판에서 한참을 뛰면서 구르고 다쳐보니 실제로 건강하게 살이 빠지는 진짜 다이어트는 우리가 기존에 알고 있던 이론이나 방식과는 조금 많이 다르다는 걸 알게 됐다. 그리고 이런 방식들은 우리 몸엔 그다지 쓸모가 없다는 것도 알게 됐다.

핸드폰 영상 속에서 어떤 음식을 먹으면 감량에 좋다고 친절하게 칼로리를 계산해 주는 전문가를 볼 때면, 이젠 쓸쓸함마저 느껴진다. 똑같은 열량인 100칼로리의 시금치와 100칼로리의 밀가루가 우리 몸에 전혀 다르게 작용한다는 사실을 안다거나 옛날에 먹던 시금치 한 단만큼의 영양분을 섭취하려면 지금은 무려 열단 이상을 먹어야 할 만큼 영양소가 감소됐다는 사실을 안다면, 지금 저렇게 어떤 음식이 막연하게 감량에 좋다거나 도움이 된다는 설명들이 과연 우리에게 어떤 의미가 있을지 난감하기만 하다.

마치 허리가 반쯤 굽은 어르신에게 뼈에 좋은 우유나 멸치를 많이 드셔야 한다고 조언하는 것과 별반 다름없어 보인다.

우리의 생활패턴과 섭취하는 음식은 하루가 다르게 빠르게 변하고 있지만, 그에 비해 이런 변화에 대처하는 속력은 너무나 느리게만 느껴진다.

그래서 우린 온갖 복잡한 용어들과 숫자들을 대입시킨 열정적인 강의를 들은 뒤에 실제 몇 킬로가 빠진다는 결론은 받지 못하고, 늘 항상 감량에 도움이 된다, 바람직하다, 몸에 좋다는 추상적인 계산서들만 받을 수밖에 없는 게 어찌 보면 당연한 일일지도 모르겠다.

최소한 '감량 전'이 벌어지는 실제 전쟁터에서는 대상자를 설득해 충동과 본능을 억제시키고, 잘못된 식습관을 찾아내서 교정을 하고, 어떤 영양이 부족한지 분석하는 작업과 동시에 이 모든 걸 대상자에게 교육시켜 올바른 습관을 만들어줘야 하기 때문에 심리학, 생리학, 영양학부터 심지어 교육학까지 완벽하게 마스터해도 승리할까 말까 하는 지독한 확률을 가지고 있다. 비유해 보자면 의사에 변호사 자격까지 취득한 저명한 심리학교수가 우리가 먹는 음식들이 어떤 성분의 비료로 재배되고 어떤 경로로 유통되는지 까지 직접 발품을 팔아가며 조사를 한다는 헌신적인 드라마가 나와야 가능하다는 말도 안 되는 확률을 갖기 때문에 우린 살이 쪘을 때 도대체 어떤 것부터 해야 할지, 어디를 가야 할지, 아직까지도 뚜렷한 해결책이 없어 우왕좌왕하고만 있고, 수많은 다이어트 제품들은 매일같이 반짝하고 출시했다 사라지기를 무한반복하고 있는 것일지도 모르겠다.

아직 현대의학도 고치기 힘든 복잡한 질병으로 분류된 비만은 이젠 고작 무엇을 먹고 안 먹는 게 바람직하다는 추상적인 조언으로 해결될만한 단순한 문제가 결코 아니며, 그건 이 글을 읽고 있는 여러분도 이미 수없이 겪어봐서 대부분 알고 있는 상황일 것이다.

이젠 전문가들이 멀찍이 떨어져서 숲만 바라보며 추상적인 설명만 하지 말고, 직접 숲 안으로 걸어 들어가 나무의 뿌리를 파헤쳐보길 바라는 마음이다. 목이 마른 사람에게 물의 효능은 그만 설명하고, 직접 손을 잡고 우물로 데려가 물 한 바가지를 직접 떠주어야 할 때가 아닌가 싶다.

이상한 나라의 다이어트

여러분도 머릿속에 갖가지 다이어트 지식과 정보가 축적돼 있음에도 불구하고 체중은 여전히 그대로라면, 더 이상 힘겹게 새로운 정보를 찾거나 선별하는 일은 잠시 그만두기 바란다. 커피가 몸에 좋은지 나쁜지, 계란은 언제 어떻게 먹는 게 좋은지에 대한 견해들만 수 십 가지다. 이제는 지금까지 당연하다고 생각했던 우리의 다이어트 지식들을 잠시 옆에 내려놓고, 팔짱을 낀 채 한 번쯤은 합리적인 의심을 해봐야 할 시점이다.

순서마저 뒤바뀐 이상한 나라의 다이어트

이쯤 되면 그래서 어떻게 하면 빠진다는 거냐며 조급한 마음으로 항의하는 사람이 있을 것이다. 하지만 지금 전체적인 상황이 어떤 판으로 돌아가고 있는지, 지금 자신은 어디쯤에 서있고 어떤 걸 고쳐야 하는지, 반드시 오염된 머리의 지식부터 차근차근 걷어내는 작업이 선행되어야 한다. 특히 실패해 본 경험이 많은 사람이라면, 잘못된 정보로 인해 많이 오염된 상태이기 때문에 더더욱 가지고 있는 이론과 지식 전체를 전부 다 뒤집어야 한다. 바로 앞에서 언급했듯이 우린 심리학, 생리학, 영양학까지 두루 입체적으로 접근해야만 그나마 결과를 만들어내고, 그 결과를 유지해 나갈 수 있다. 우리는 일시적인 감량뿐만이 아니라 장기적인 유지까지 해나가야 되는 중차대한 이중과제를 안고 있고, 그 유지는 오로지 올바른 지식이 장착된 두뇌에 의해 결정된다는 점을 명심하기 바란다.

지금은 대부분 아직 감량조차도 제대로 못해서 우왕좌왕하고 있는 실정이지만, 당장 빠지기만을 바라는 급한 마음에 감량법만을 좇는다면, 반드시 금방 다시 쪄버리는, 결국 뭐 하나 남는 게 없는 허무한 일장춘몽의 결말을 만든다는 건 여러분도 수없이 겪어봤을 테고, 그걸 숱하게 봐온 나로서는 이론의 중요성에 대해 강조하지 않을 수 없다.

대부분 유지를 못하는 원인을 자신의 부족한 의지나 잘못 선택한 방식에서 찾고 있는데, 정작 놀라울 만큼 아주 사소한 습관이나 보잘것없는 잘못된 지식에 의해 망쳐왔다는 걸 깨닫게 될 것이다. 여러분이 이제껏 아무 생각 없이 밟고 올라섰던 체중계가 여러분의 다이어트 실패에 상당 부분 일조해 왔다면, 다소 황당하게 느껴질 텐데, 이 책은 그런 실제 사례들을 모아놨다. 당장 어떻게 먹고 운동하면 되느냐는 무대포식 전투형 다이어트만을 추구했던 사람들은 나의 통계상 단 한 명도 유지를 못했다는 처참한 성적표가 있는 반면, 이론을 차근차근 공부했던 사람들은 그나마 상당한 유지율을 보여주고 있다. 다이어트의 중요도를 굳이 비율로 따진다면 이론이 70, 실전이 30 정도라고 볼 수 있다. 하지만 대부분 이 비율이 뒤바뀌어 있거나 이론이 아예 없는 경우가 많을 것이다. 다이어트를 하는데 무슨 이론이고 공부냐며 푸념할 수 있겠지만, 우리는 양치를 하지 않으면 이빨이 썩는다는 지식과 정보가 있기 때문에 귀찮더라도 자기 전에 양치를 해서 치아를 보호할 수 있는 것처럼, 충분한 지식이 있어야만 비만으로부터 우리 몸을 보호하고 유지할 수 있다. 그러니 지금부터 보여주는 실상들을 하나 둘씩 차분하게 바라보고 자신을 점검해 보며 지식과 정보를 습득하길 바란다.

그러면 그렇게 하나 둘씩 쌓인 공식들이 훗날 여러분의 체형을 자유자재로 늘리거나 줄일 수 있으며, 또한 유지를 할 수 있는 강력한 힘을 만들어줄 것이다.

실제 100여 명의 대상자들의 성공과 실패를 겪으며, 그들이 느껴야 했던 심리적인 문제들이나 행동패턴에 대해 기술한 부분이 많은데, 적극 공감이 되는 부분도 있겠지만, 반대로 불편함을 느낄만한 부분도 있을 것이다. 하지만 앞으로 여러분이 걸어야 할 가시밭길에 든든한 초석과 지침이 돼줄 것이라는 건 믿어 의심치 않는다.

이 책은 오직 체중감량만을 위한 목적을 가지고 있으니 감량이 필요한 사람들만 읽는다는 가정하에 독자들을 '우리' 나 '여러분'과 같은 형태로 지칭한다는 점을 미리 말해둔다.

현재 우리의 다이어트 성적이 아직까지 큰 진전이 없는 데에는 외부의 잘못된 정보들에 의한 것도 있지만, 대상자들 스스로의 '합리적 의심'이 실종된 것도 한몫하고 있다.

수많은 전문가가 각종 매체에 나와서 수 백 가지 다이어트비법을 알려주고, 팔만 뻗어도 바로 손에 닿을 만큼 갖가지 상품들이 널려있으며, 우리가 어떤 누구와 만나든 꼭 하루에 한 번쯤은 나누게 되는 흔한 관심사가 다이어트임에도 불구하고, 우리 체중에 거의 변화가 없다는 사실은 어찌 보면 기적과도 같은 일인데도 정작 합리적인 의심을 하는 사람은 찾아보기 힘들다.

더군다나 살이 안 빠지면, 그런 정보나 상품을 의심하지 않고 황당하게도 가장 먼저 자기 자신부터 책망을 하기 일쑤다.

만 원짜리 체중계가 한 번이라도 작동을 안 하면, 누구든 당장이라도 반품을 요청할 기세로 전화번호를 누를 텐데 신기하게 수십, 수백만 원 하는 다이어트 상품엔 효과가 없어도 우린 지나칠 정도로 제품을 관대하게 이해해 준 뒤 돌아 서서 자기 자신을 탓하기만 한다. 속는 것도 수없이 반복이 되다 보니 어느새 적응이 돼버린 것인지는 모르겠지만, 상황이 이러다 보니 다이어트시장은 굳이 우리에게 책임감을 느끼거나 해명해 줄 필요를 느끼지 못한 채 계속해서 새로운 제품만 만들어 내면 된다.

그런데 문제는 다이어트시장이 왜 찌는지 그 근본원인조차도 잘 알지 못한다는 것이다. 알고 있다면 성적이 이렇게까지 형편 없을 수는 없다는 게 합리적인 의심일 것이다. 진짜 근본 원인을 모르기 때문에 각종 물리적, 화학적 방법을 다 동원해 보고 그중에 누가 일시적으로 조금 빠지기라도 하면, 그때부턴 당당하게 결제기를 내민다. 효과가 없는 소비자들이 왜 자꾸만 찌는 거냐고 귀찮게 물어본다면, 가장 쉬운 논리인 '네가 많이 먹고 운동을 안 하니까' 라는 카드만 꺼내 보여주면 만사형통이다. 이런 이유로 생각보다 많은 다이어트들이 잘못된 방식을 택하고 있는데, 가장 큰 문제는 살이 찌는 내부의 근본 원인부터 해결하려고 하지 않고, 이미 겉으로 불어난 외형 빼기에만 급급하다는 것이다. 싱크대의 하수구가 막혀 물이 넘치면 배수관을 뚫어줘야 해결이 될 텐데, 계속 허겁지겁 넘쳐버린 물만 쓸어 담아 치우는 형국이다. 이렇게 눈에 보이는 외형적인 부분에만 초점을 맞추다 보니 언제부턴가 문제가 하나 발생하게 됐는데, 그건 바로 감량의 절대공식마저 뒤바뀌어 버렸다는 것이다. 다이어트의 절대 불변적 순서가 가장 먼저 건강을 해결하고, 그 뒤가 감량인데, 대부분 감량을 먼저 앞에 두고, 건강은 뒷전에 놔두고 있는 것이다. 쉽게 말해 얼굴의 주름을 개선하려고 하지 않고, 그걸 덮기 위해 두껍게 화장만 하려는 것이라고 볼 수 있다.

건강보단 당장 눈에 보이는 외모가 시급하기 때문이다.

아무리 탈모가 오고, 시력이 나빠지고, 불면증에 시달리며 정신적인 부작용을 겪어도 그런 것 따위보다 우선 내 몸을 보는 주위의 시선이 중요하기 때문에 일단 덤벨부터 들고 식욕억제제를 구매한다. 그런데 이렇게 매번 급한 마음에 기초공사를 부실하게 해 놓은 상태에서 무리하게 건물을 지으려고 하니 우리는 몇 층이 올라가다 무너지기를 반복할 수밖에 없는 것이다. 우리 몸을 건강하게만 만들어 놓으면, 살은 가만히 둬도 알아서 빠지도록 설계돼 있는데, 이게 무슨 말인지 좀처럼 난해하게 들리겠지만, 앞의 예시와 같이 배수관만 뚫어놓으면, 아무리 물을 부어도 물이 차오르지 않는다는 공식은 우리 몸에도 아주 흡사하게 적용된다. 대부분 살이 쪄서 그 뒤로 건강이 안 좋아졌으니까 우선 살만 빼면 그 뒤에 건강은 자동으로 알아서 좋아지는 게 아니냐고 생각하겠지만, 이건 순리와는 정반대가 되는 대단한 착각이고, 이 단순한 순서가 만드는 결과의 차이는 생각보다 엄청나다.

이상한 나라의 다이어트

어떤 예능프로에서 근육질의 우람한 연예인이 건강검진을 받았는데, 결과가 좋지 않게 나온 것을 보고 모두 다 의아한 표정을 지었던 장면을 기억한다. 외부의 건강이 먼저가 돼버려 순서가 뒤바뀐 좋은 예시다. 우리는 근육질의 탄탄한 몸이 바로 건강함이라는 머릿속의 허상을 깨야만 한다. 안타깝지만 이런 상황이 지금 우리가 현재 겪고 있는 다이어트들의 현주소다.

분명한 건 이렇게 우리는 지금 매우 이상한 환경에서 이상한 다이어트를 하고 있다는 것이다.

헬스는 오히려 살을 찌울 수 있다?

가장 많은 논란거리가 됐던 내용이고 앞으로도 그럴 것이다.

이걸 주장하며 온라인상에서 수없이 많은 글러브들에게 실컷 두들겨 맞아봐서 이젠 어느 정도 단련까지 된 지경이고, 이건 아직까지도 현재 진행형이다. 여러분 중의 어느 누군가도 위의 제목을 보고 벌써부터 글러브를 손에 끼우려는 사람이 있을 것이다. 하지만 난 그 글러브에 피가 터지는 한이 있더라도 달려들어 여러분의 눈을 가리고 있는 검은 안대를 한 명이라도 벗겨낼 것이다. 이쯤에서 이 부분을 언급하지 않으면, 여러분이 이 책에서 자신과 조금이라도 안 맞는 부분을 발견하게 될 때, 언제라도 과감하게 책을 덮고 운동을 하러 갈 것이기 때문이다.

생각보다 많은 대상자들이 이것저것 시도해 보다가 맨 마지막에 공통적으로 선택하는 최후의 보루가 운동이다. 그래서 살을 빼려면, 운동을 해야 한다는 법칙은 이제 거의 신앙에 가깝다.

이건 아마 길거리에 지나가는 강아지한테 물어봐도 끄덕일 만큼 누구도 부인하지 않는 공식이다. 하지만 이런 운동이 오히려 살을 더 찌울 수 있는 매우 위험한 행동이라면 여러분은 믿을 수 있겠는가?

여러분이 보고 있는 이쪽 이상한 나라에서는 감량중일 때 운동은 전혀 필요 없으며, 실제로 운동 없이도 안전하게 운동보다 훨씬 더 빠른 속력으로 감량이 이뤄지기 때문에 운동은 약간 다른 세상의 이야기처럼 낯설게 취급하고 있다.

대상자에게 단식과 운동 중 어떤 것을 선택할지 물어보면 7~80% 정도가 운동을 선택한다. 아무래도 굶는 건 공포스러운 이미지밖에 없지만, 운동은 살도 빼고 탄탄한 몸매까지 얻을 수 있다는 희망적 이미지가 심어져 있는 데다 먹고 싶은 것들까지 포기하지 않을 수 있기 때문에 무려 일석삼조의 이득이라는 계산이 나오기 때문이다. 하지만 그건 진짜 다이어트라고 볼 수 없고, 그저 자신의 필요에 의해 편하게 짜깁기된 공식이라고 볼 수 있다.

막상 다이어트의 어원을 검색해 보라고 하면, 당황해하는 사람들이 적지 않은데, 다이어트라는 단어에는 운동이라는 개념이나 뜻은 전혀 없기 때문이다. 그런데 신기하게도 다이어트라는 단어가 언제부턴가 그저 살을 빼는 일련의 모든 행위들을 총칭하는 의미로 자리 잡아버렸다. 그리고 정작 실제로 다이어트라는 단어의 뜻이 알려주는 대로 감량을 진행하는 사람들은 생각보다 많지 않고, 저마다 자기만의 방식으로 편집해서 진행하고 있다. 하지만 이미 그렇게 사용하는 편이 모두가 이해하기 쉬울 만한 일반적인 용어로 자리 잡았으니 혼란이 없도록 이 책에서도 다이어트를 그렇게 총칭하는 뜻으로 사용하도록 하겠다. 이제부터 이 주장에 어떤 근거가 있는 건지 천천히 한번 짚어나가 보자.

이쯤에서 나의 주장은 잠시 접어놓고, 여러분이 가지고 있는 실제 기억만으로 한번 냉정하게 판별해 보자.

주제는 '우리 주위에 헬스클럽을 다녀서 실제로 살이 빠진 사람이 있는지, 그리고 실제로 있다면, 현재까지도 유지를 하고 있는 중인가'이다. 가장 먼저 내 주변의 친구나 지인들 중에 헬스클럽에서 운동을 해서 살을 뺐다는 사람이 실제로 있는지 찾아보자. 물론 이 범위 안에 헬스클럽 관계자는 제외시켜야 한다. 그런데 만약 실제로 있다면, 그게 진짜 자신이 알고 지내는 가까운 지인인지, 아니면 실제로 만나보지는 않은 SNS나 카페, 블로그처럼 핸드폰의 네모난 화면 속에서만 존재하는 주인공인지 다시 한번 검토해 보자. 그리고 만약 주위에서 그런 사람을 찾았다면, 아직까지 계속 유지하고 있는 중인지, 그리고 최근에 만나서 직접 눈으로 확인한 건지 되짚어보자. 재미있는 건 너무나 이상하고 신기할 만큼 우리 주위에 그런 사람이 없어도 너무 없다는 것이다. 장담컨대 왕년에는 헬스 좀 해서 몸이 좋았었는데, 지금은 오히려 더 쪄버린 경우는 심심찮게 봤어도 몇 년 동안 뺀 상태를 그대로 유지하고 있다는 사람은 많지 않을 것이다. 필자 역시 이제껏 살아오면서 운동으로 한 두 달 반짝 뺐던 지인들은 몇 명 봤어도 아직까지 유지 중인 사람은 거의 보지 못했고, 지금은 오히려 하나같이 더 쪄있는 상태다.

왕년에 유명한 운동선수였다가 은퇴를 하고 지금은 TV프로에 종종 나오는 선수출신의 연예인들을 자세히 보면, 아마 비슷한 공통점을 발견할 수 있는데, 그건 한결같이 운동하기 전보다 지금은 대부분 오히려 후덕하게 살이 쪄있다는 것이다. 그런데 당장 눈으로 확인되는 결과들이 이 정도 수준이라면, 누구나 한 번쯤은 의심을 가질 법도 한데, 대부분의 사람들이 아직까지 별 의심을 갖지 않고 살만 쪘다 하면 너무나 당연하게 덤벨부터 들고 본다.

현대의 다이어트 시장과 전문가들은 비만의 원인 옆에 '운동부족'이라는 거대하고 기괴한 철탑을 세워놨는데, 난 그 사람들에게 하루 종일 운동에 버금가는 노동일을 하는 사람들 역시 비만이 많은데, 그건 어떻게 설명할 수 있는지 묻고 싶다.

일을 하는 사람도 분명 운동을 하는 사람만큼 충분히 힘을 쓰며 움직이기 때문이다. 그리고 과거의 우리 부모님이나 조상들은 지금처럼 헬스클럽에서 따로 운동을 하지 않았음에도 불구하고, 어떻게 지금보다 훨씬 날씬할 수 있었는지 그것에 대한 해명도 요구할 것이다. 이쯤 되면 운동부족이 비만의 원인이라는 건 다시 한번 검토해 봐야 될 문제가 될 것이다.

미국에서 4만명을 대상으로 무려 10년 동안 운동을 시켰던 대규모 다이어트 실험을 진행했을 때, 체중감량에 전혀 변화가 없었다는 연구결과와 버지니아 대학에서 윗몸일으키기로 실험을 해봤을 때 감량을 위한 운동은 헛수고라는 결과가 이미 나와있는데도 우린 여전히 살만 좀 쪘다 하면 가장 먼저 운동부터 끊으려고 한다. 이 공식은 비만보다 더 무섭게 확산되어 마치 뿌리 깊게 자리 잡아버린 종교와도 같다. 물질을 태우면 연소가 된다는 상식처럼 우리가 어렸을 때부터 배워왔던 물리학의 공식을 엉뚱하게 다이어트에다 갖다 붙여놨으니 '운동을 하면 지방이 탄다'는 기가 막힌 표현이 정말로 지방에 불이 붙어 탈것처럼 무섭게 퍼지는 게 어찌 보면 당연한 일일지도 모르겠다.

결론부터 말하자면, 비만인 상태에서 살을 빼기 위한 목적의 과격한 근력 운동은 해도 그만, 안 해도 그만인 선택사양이 아니라 절대로 해서는 안 되는 '금기'인데, 이걸 아는 사람은 거의 없다. 우리는 여전히 각종 매체에 헬스로 다져진 탄탄한 몸의 연예인이나 잘빠진 트레이너들의 모습을 보며, 나도 언젠간 저렇게 될 수 있을 거란 막연한 기대감이나 환상에 빠져 운동을 끊는다. 물론 운동으로 감량을 해도 상관은 없지만, 여기엔 일반사람은 알지 못하는 무서운 함정이 있다.

그것은 절대로 중간에 멈춰 선 안 된다는 것이다.

비만인 상태에서 헬스클럽에 등록을 할 때 만약 3개월이나 6

개월 단위로 끊는다면, 결론적으론 그건 오히려 더 찌겠다고 선언하는 자폭행위나 마찬가지다. 살을 빼기 위한 목적의 헬스는 반드시 개인 PT를 받아야 그나마 좀 빠지지만, 운동강도가 일반 운동선수만큼 가혹해서 지옥과 같이 힘들고 괴롭다.

그런데 누구든 정말 열심히만 한다면 TV나 포스터에 나오는 전문 트레이너처럼 실제로 지방이 빠지면서 근육이 잡힌다.

그런데 문제는 이때 '기초대사량'이란 것도 따라서 서서히 올라간다는 것이다. 기초대사량이 올라간다는 건 우리 몸이 새로이 불어난 근육을 유지하기 위해 많이 먹어도 몸에서 음식이 쌓이지 않게 원활하게 잘 분해해서 처리해주는 체질로 점점 바뀐다는 것인데, 함정은 그만큼 먹는 양도 같이 커진다는 것이다. 그 정도로 고된 운동을 하는데, 그 운동량을 공깃밥 하나로 계속 유지할 수 있는 사람은 많지 않을 것이다. 아무리 많이 먹어도 잔뜩 끌어올려놓은 기초대사량 때문에 몸이 음식을 원활히 분해, 흡수시켜 줘서 살이 안 찐다는 건 정말로 모두가 염원하는 아름다운 일이 아닐 수 없지만, 문제는 당사자가 어떤 사유로 인해 운동을 중단할 때부터 발생하게 된다.

이렇게 운동을 중단하는 경우는 우리 주위에 너무나 흔한 일이기 때문에 나는 절대 그럴 일은 없을 거라고 장담하는 사람은 많지 않을 것이다. 운동만 하면 살이 빠지면서 아름다운 몸이 될 거라는 미래의 장밋빛 꿈은 우리에게 지겹도록 보여주고, 들려주고 있지만, 정작 운동을 그만뒀을 때는 어떤 현상이 발생하는지에 대해선 아무도 가르쳐주지 않는다. 조금 복잡해졌지만 정리하자면, 우리의 최종 목적은 살만 빼면 되는 일이지만, 헬스는 지방을 빼는 것과 동시에 애꿎은 근육까지 키우는 일을 해야 한다는 것이고, 그 운동량을 유지하기 위해선 많이 먹어야 하는데, 어쩔 수 없이 기초대사량까지 같이 커지는 결과를 낳게 된다는 것이다. 그럼 운동을 중단했을 때는 어떤 현상이 벌어지는지 분명히 검토를 해보고 넘어가 볼 문제일 것이다. 우리가 처음 회원등록을 할 때 일단 두세 달만 열심히 바짝 할 계산으로 보통은 시작을 하지 10년 20년을 넘어 평생 할 거라고 계획을 잡고 하는 경우는 거의 없기 때문이다. 이렇게 몇 달 바짝 했던 운동을 어느 날 중단하게 되면, 잔뜩 올려놨던 먹성도 다시 내려가야 되는데, 그건 우리의 희망사항일 뿐 결코 친절하게 내려가주지 않는다.

그럼 어떤 현상이 벌어질지 짐작이 가는가?

단순한 상식으로 생각해 봐도 운동을 중단하면, 근육이 줄어든 만큼 기초대사량도 같이 줄어들지만, 대신 늘어난 먹성은 갑자기 줄이지 못하기 때문에 줄어든 기초대사량만큼 먹으면 먹는 대로 다 살로 가게 돼있다. 몸이 더 이상 근육 유지를 위해 음식을 원활히 분해, 흡수하는 활동을 할 의무가 없어졌기 때문이다. 먹는 양이 어느 정도 줄어들었다고 해도 그것과는 별로 상관이 없다는 듯이 찐다.

흥미로운 건 이런 경우는 쪄도 너무 빠른 속력으로 찐다는 것이다. 드럼통 안의 작은 불씨를 살리고 키워서 나중엔 큰 장작도 금방 활활 타버릴 만큼 키워놨는데, 갑자기 비가 와서 불이

꺼졌는데도 장작은 계속 집어넣는 꼴이기 때문이다. 이건 주위에 운동을 하는 사람에게 딱 한 달만 운동을 중단해 보라는 실험을 해본다면, 쉽게 확인할 수 있을 것이다.

이제 왕년에 헬스 좀 했다고 자랑했던 사람들이 지금은 왜 한결같이 죄다 후덕하게 쪄있는건지 이해가 좀 될 것이다. 갑자기 근육을 키운다면, 어쩔 수 없이 몸에 상당한 충격량을 주게 되고, 그렇게 대책 없이 키워놓은 근육에 대해 책임져야 할 희생은 생각보다 상당하다. 한마디로 비만인 상태에서의 근력 운동은 중간에 멈추지 말고 '죽기 바로 직전까지 계속 부어야 하는 만기 없는 보험상품'이라고 할 수 있다. 중간에 해약을 하면, 감당해야 할 손실이 어마어마해진다. 잔뜩 올려놓은 기초대사량을 계속 떨어지지 않게 유지해야만, 다시 찌지 않을 수 있기 때문이고, 그걸 유지하기 위해선 계속 먹어가며 과격한 운동을 해야만 한다. 그래도 만약 죽기 직전까지 멈추지 않고 계속 운동할 자신이 있다면, '직업별 평균수명'을 한번 검색해 보고 시작하길 권장한다. 어떤 곳에서 조사한 수치든 상관없이 체육인의 수명이 가장 짧다. 어느 정도의 높은 수준까지 운동한 사람이라면 대부분 이 사실을 알고 있다. 그 운동하고 그 운동은 다르다며 군이 선을 그으려는 사람도 있는데, 그 운동이 그 운동 맞다. 심지어 대상자들은 마치 4~50Kg의 완전군장을 한 군인처럼 자신의 무거운 살을 힘겹게 매번 끝날 때까지 계속 어깨에 멘 상태로 운동을 해야만 하는데, 운동선수도 그렇게까진 고통스럽게 자신의 몸을 혹사시키진 않을 것이다.

사람의 몸도 자동차처럼 많이 사용하면 할수록 금방 수명이 단축될 수밖에 없다. 운동을 많이 하는 것도 어차피 몸을 많이 사용하는 것이고, 음식을 많이 섭취하는 것 역시 내부의 장기들을 많이 사용하는 것이다. 그렇기 때문에 소식을 해야 장수를 한다는 논리는 아직까지 그 어떤 전문가의 반론이나 문제제기가 달라붙지 않고, 아직까지 온전하게 보존이 될 수 있는 것이다.

비만은 보이지 않는 환자복을 입고 있어야 하는 생각보다 심각한 질병이라서 일반사람과는 분류된 다른 공식과 조건을 적용시켜야 하지만, 현재의 다이어트는 일반사람들과 동등한 조건을 적용시키려다가 많은 문제들을 만들게 된다. 그 대상자가 얼마나 숨이 차오르는지, 관절이 얼마나 아픈지, 심장에는 얼마나 무리가 가는지 내 알 바가 아닌 마인드와 논리들이 상당히 많다. 비대한 몸을 가진 누군가가 무자비한 근력운동을 시작해 서서히 날씬해지는 SNS 속 영상들의 댓글에 부러움과 격려의 '좋아요'가 많이 달리는걸 종종 보게 되지만, 언제 터질지 모르는 시한폭탄이 보이는 나로서는 심각한 표정으로 바라볼 수밖에 없다. 나는 이런 상황을 힘껏 당겨진 '새총의 고무줄'이라는 표현을 쓴다. 무자비한 단식이나 근력운동은 우리 몸을 점점 고무줄을 뒤로 팽팽하게 당기는 작업이기 때문에 한 번만 놓아버리면 감당하기 힘든 결과를 초래하게 된다.

식단과 걷기로 자연스럽게 감량한 몸과 인위적인 근력운동으

이상한 나라의 다이어트

로 감량시킨 몸의 체중이 서로 같다 해도 내부에는 분명한 차이가 있다는 건 직접 실험해 본 사람으로서 자신 있게 말할 수 있다. 헬스는 체지방이 모두 다 빠지고 난 다음 몸을 만들어 유지하고 싶은 욕심이 생길 때 가볍게 하는 운동이고, 나 역시 하고 있다. 이때는 힘을 들이지 않고 가볍게만 해도 몸의 근육들이 금방금방 예쁘게 잡힌다. 적당한 근육운동은 항 염증성 물질을 분비시켜 피부를 비롯해 몸에 여러 가지 좋은 영향을 끼친다. 어차피 헬스는 한 달 동안 열심히 살을 빼고 난 뒤에 유지를 위해 천천히 시작한다고 해도 늦지 않을뿐더러 트레이너분들도 결코 여러분의 난감해 보이는 두툼한 살을 그다지 반가워하지 않을 것이다.

정리하자면, 언제가 됐던 살을 빼기 위한 목적의 근력운동은 절대 하지 말라는 것이다.
헬스는 유지공식이지 절대 감량공식이 아니다.

대상자들은 이미 보이지 않는 완전군장을 어깨에 둘러멘 상태이기 때문에 일상생활 속에서 먹고 자는 움직임만으로도 이미 충분한 운동을 한다고 볼 수 있다. 정말 그것만으로도 충분하고 누구든 이의를 제기한다면, 실제로 증명해서 보여줄 수 있다. 근력운동은 장기적으로 봤을 때 감량에 크게 영향을 주지 않는다는 건 나의 통계나 외국의 대규모 실험에도 동일하게 나와있다. 순리를 역행하는 무자비한 운동으로 뺀다면, 그만큼 무자비한

폭탄을 떠안게 된다고 생각하면 된다.

자, 이 얼마나 반가운 희소식인가.

운동을 하지 말라니 말이다.

현재로선 살을 빼기에 가장 적합한 운동은 '하루 1시간 걷기' 뿐이다. 이것도 굳이 필요 없는 운동이지만, 굳이 운동을 해야 한다는 대상자들을 위해 다음글에 부록처럼 적어놓는다.

설마 그거 가지고 되겠냐는 사람이 있다면, 이거라도 한 달 동안 꾸준히 해본 적이 있냐고 되물을 것이다. 과격한 운동과 가벼운 스트레칭의 중간 어디쯤에 있는 걷기는 이런 모든 문제점들을 보완해 주며, 가장 안전하고 자연스럽게 감량의 효과를 배가시켜 준다. 각자 자신에게 맞는 운동이 있는 거 아니냐고 하는 사람이 분명히 있겠지만, 헬스에 킥복싱에 각종운동을 해봤던 필자가 내 몸과 다른 사람의 몸에 실험을 해가며 가장 적합한 최적의 운동을 찾아봤을 때, 아직까지는 걷기밖에 없다고 말할 수 있을 것 같다. 자신의 몸을 소중하게 생각한다면, 무턱대고 다이빙부터 하려 하지 말고, 다이빙대까지 천천히 걸어 올라가는 작업부터 하기 바란다.

이상한 나라의 다이어트

걷기의 정석

걷기는 전문가들 중에도 이의를 제기하는 사람이 거의 없을뿐더러 보편적으로 이미 널리 알려진 운동이기 때문에 누구든 접근하기 쉬운 친근한 운동이다. 필자가 직접 실험해 본 여러 가지 감량운동 중에 유일하게 수치상으로 확실한 그래프를 나타내는 종목도 '1시간 걷기' 뿐이었다. 무엇보다 몸에 큰 고통이나 충격 같은 부담 없이 상당한 결과를 만들어준 것만으로도 훌륭했는데, 중단한 뒤에도 후폭풍이나 영향이 전혀 없다는 걸 확인하고는 자신 있게 감량 매뉴얼에 포함시켰다. 하지만 이 역시 안타깝게도 신기할 만큼 성공한 사람을 주위에서 찾아보기 힘들다. 얼핏 듣기만 하면, 누구나 언제든 맘만 먹으면 특별한 장비나 기구 없이 할 수 있는 만만한 운동인데도 왜 꾸준히 해서 효과를 봤다는 사람이 주위에 별로 없는지 신기한 일이지만, 거기엔 그럴 수밖에 없는 몇 가지 함정들이 있다.

그 첫 번째로 감량을 위한 목적의 걷기는 런닝머신에서 하면 안 된다는 것이다. 대부분 걷기를 하려면 주변에 공원이나 산책로가 있어야 하는데, 여건이 안 되는 경우 먼저 실내의 런닝머신을 생각하게 된다. 산책로가 있더라도 지나다니는 사람들의 시선에 대한 부담도 있고, 덥거나 추운 날씨의 기상조건까지 생각한다면, 자연스레 실내의 런닝머신을 선택하게 되는데, 여기부터가 벌써 함정이다. 런닝머신이 감량에 효과가 있었다면, 지금쯤 헬스클럽은 각종기구들을 걷어내고 절반이상을 런닝머신만으로 채웠을 것이다. 런닝머신은 감량을 목적으로 하는 기구가 아니다. 집안의 빨래걸이로 전락하는 1순위가 런닝머신인데도 사람들은 아직까지 런닝머신 위에서 희망을 꿈꾸고 있다. 가장 큰 원인은 우리 몸은 우리가 일정하게 움직이는 동작에 대해 '학습'을 한다는 것이다. 런닝머신 위에서 늘 항상 똑같은 높이, 똑같은 각도와 똑같은 속력으로만 일정하게 걸으면, 우리 몸은 그 패턴을 학습해서 생존을 위해 어느 순간 지방을 태우지 않고 방어모드로 들어간다. 언젠가 생존을 위해 써야 할지도 모르는 지방을 놓지 않고 꽉 붙잡고 있는 것이다. 같은 약을 장시간 주기적으로 계속 먹다보면, 몸이 생존방어를 위해 내성을 만드는 것과 비슷하다. 그렇기 때문에 걷기를 하려면, 무조건 야외에서 걸어야 한다. 밖에서 걸으면 오르막이나 내리막도 있고, 방지턱도 있고, 사람도 비껴가야 하는 무수한 변수들이 발생하기 때문에 몸이 우리의 움직임에 적응하거나 학습할 겨를이 없다. 무엇보다 아랫배의 장을 흔들어주는 탄력이나 자극은 런닝머신과 비교가 되지 않는다. 그래서 이런 불규칙한 과정들을 거치게 되면, 몸이 지방을 잡고 있지 못하고, 결국 손을 놓아버린다. 그러니 걷기는 반드시 야외에서 진행해야 한다.

두 번째는 빨리 걸어야 한다는 것이다.

가끔 아침공원에 머리에 캡을 쓰고 팔을 앞 뒤로 크게 저으면서 걸으시는 뱃살 두둑한 아주머니들을 종종 보게 되는데, 그럴 때마다 그분의 목적이 살을 빼는 게 아니길 바라는 엉뚱한 생각을 하게 된다.

그 속력으론 살이 빠지기 힘들다는 걸 알기 때문이다. 많은 사람들이 '걷기'라고 해서 평소 자신이 걷는 속력으로 편하게 걷는데, 이것 역시 함정으로써 건강에 도움은 될지언정 결코 감량은 되지 않는다. 감량을 위한 걷기의 속력은 달리기 바로 직전의 속력으로 거의 경보 수준으로 걸어야 된다.

셋째는 저마다 빠지는 시점과 구간이 있다는 걸 알아야 되는 것인데, 그건 모두 일정하지가 않다. 걷기를 한참 진행하다가 전혀 빠지지 않거나 투자대비 효과가 미비해서 여기서 무너지는 경우가 많다. 필자 같은 경우는 무려 3주 가까이 체중에 아무런 변화 없이 평행선을 달리다가 그 뒤로 급격하게 내려가기 시작했다. 그 속력이 당황스러울 정도인데, 마치 그 시점만을 위해 이제껏 빠질 살들을 차곡차곡 모아뒀다는 듯이 며칠 간격으로 허리띠의 구멍을 한 칸씩 줄여나갔었다. 하지만 그 시점에 도달하기까지 필자 역시 정말 무수한 의심과 걱정을 했기 때문에 많은 사람들이 실패할수밖에 없었던 원인을 한 가지 발견하게 된 계기가 되기도 했다. 그러기 때문에 걷기는 의심없는 끈기와 성실함이 필수적이다. 우선 이 세 가지 함정만 알고 있다면, 걷기만으로도 감량을 하는 게 어느정도 가능하다. 비 오는 날엔 우산을 들고서라도 절대 빠트리면 안 된다는 매뉴얼이 있는데, 필자 같은 경우 장마와 맞닥뜨리게 돼서 결국 두 달 만에 중단할 수밖에 없었던 것으로 기억한다. 만약 시도한다면, 장마 기간은 어느 정도 예상하고 설계하기 바란다. 한 시간 걷기는 혼자 외롭고 지루하게 해야 한다는 어려운 단점이 있는데, 이때는 이 지루한 시간을 효율적으로 쓰기 위해 한쪽으로 블루투스 이어폰을 꽂고 강의나 오디오북 듣기를 권장한다. 어느 정도 숙달이 되면 동영상을 보며 걷는 것까지 가능해지는데, 핸드폰 화면을 정면이 아닌 약간 옆으로 비스듬히 들어 화면과 정면의 시야를 동시에 확보한 상태에서 걸으면 된다. 이때 이어폰은 반드시 양쪽이 아닌 한쪽 귀에만 꼽아 주변의 소리도 확인하면서 걸어야 안전을 확보할 수 있다. 이 정도만 체계적으로 시스템화시켜 놓는다면, 그 순간 걷기는 여러분에겐 시간이 아까운 지루한 운동이 아니라 자기 개발과 체중감량이라는 두 마리의 토끼를 잡는 가성비 좋은 운동이 될 것이다.

이상한 나라의 다이어트

이상한 나라는 아직도 왜 찌는 건지 그 이유도 모르고 있다

현재 다이어트 시장의 문제점과 운동에 대해서 얘기해 봤다.

이젠 조금씩 본론으로 들어가서 살이 찌는 근본 원인에 대해 좀 더 깊숙이 파헤쳐보자.

대부분은 자신이 왜 자꾸 찌는건지 그 진짜 이유나 원인을 잘 알지 못한다. 심지어 전문가들조차도 잘 모른다. 전문가들도 비만이 많은 판국에 도대체 누가 정확한 원인이 무엇이고 어떤 원리로 해결할 수 있다고 자신 있게 말할 수 있을지 의문이다. 현재로선 '네가 많이 먹고 운동을 안 해서'라는 엔터키 같은 논리로 얼버무리며 책임을 당사자에게 떠넘기고만 있는데 여러분에겐 전혀 죄가 없다. 단지 알지 못할 뿐이다.

그러나 모르는 상황에선 결코 그 어떤 것도 해결할 수가 없고, 원인을 알아야만 죽이 되든 밥이 되든 뭐라도 해결할 수가 있다. 과연 모든 비만이 영양과잉이 아니라 영양부족 때문이라는 사실을 몇 명이나 알 수 있고, 고작 음식을 잘 씹지 않는 습관이 비만으로 이어질 수 있다는 사실을 도대체 몇명이나 알 수 있겠는가?

다음은 일반인이 비만이 되어가는 과정을 나름대로 정리해 봤다. 물론 이 모델이 100% 맞다고 단정 할 순 없지만, 각종 논문과 조사자료를 수집한 내용을 실제로 내 몸과 여러 대상자들에게 적용해 가며 대입해 봤을 때, 현재로선 그나마 가장 신빙성이 있는 추론이라고 생각된다.

사람의 장기는 최소한 먹고 먹지 말아야 하는 '생체시간'이라는 게 존재하는데, 이 시간은 낮 12시부터 6시까지로 이때가

인간의 소화활동이 가장 활발한 시간이며, 이외의 시간의 음식섭취는 몸에 어떤 영향을 끼칠지 보장이 되지 않는다. 여기까지 얘기하면, 아침은 어떻게 하냐는 질문이 날아올 수 있는데, 우리 인류는 역사적으로 두 끼를 먹어왔던 적이 많았고, 하루 세끼는 18세기 산업혁명이 시작되면서 노동자의 일하는 시간이 대폭 늘어나면서 시작된 루틴으로 생각보다 역사가 그리 길지 않다. 굳이 노동시간이 길어지지 않은 사람이라 할지라도 전구가 탄생하는 순간 전 인류의 밤이 환해지면서 모든 사람의 하루가 이미 길어졌기 때문에 에디슨의 위대한 발명이 탄생함과 동시에 아이러니하게도 인류의 생체시간은 이미 무너지기 시작했다고 볼 수 있다.

더군다나 옛날보다 훨씬 복잡하고 다양해진 사회관계 속에서 우린 수많은 만남들을 치러야 하는 상황에 놓였고, 그 만남들은 어쩔 수 없이 음식이 필수가 돼버린 문화가 형성됐기 때문에 저녁 6시로 선이 그어진 우리의 '생체시간'은 이미 허물어진 지 오래됐다고 볼 수 있다. 그것도 문제지만 여기서 또 다른 문제에 봉착하게 됐는데, 이렇게 물질의 풍요로워짐으로 인해 우리는 점차 음식을 보다 자주, 더 많이 섭취할 수 있게 됐지만, 문제는 섭취해야 할 음식들에 이윤이나 마진이라는 개념이 붙기 시작하면서 생산자는 이익의 극대화를 위해 점점 맛을 인위적으로 진화시키게 됐다는 것이다. 여기까지 들으면 대부분 자본주의 사회에서 지극히 당연한 일 아니냐는 표정을 짓겠지만, 우리가 지금 풍요롭게 느끼고 있는 맛의 향연 뒤엔 그 맛을 만들어내기 위한 어두운 그림자가 존재하고 있다는 것을 알아야 한다. 밀가루하나만 놓고 봐도 더 많은 생산을 위해 비바람에 쓰러지지 않게 인위적으로 키를 낮춘다거나 반죽이 더 잘되게 하기 위해 수많은 교잡에 교잡을 거친 뒤, 3대까지 태아에 악영향을 끼칠 수 있는 제초제를 뿌려 전 세계에 공급하고 있다. 여기에 우리가 하루 종일 흔하게 섭취하는 액상과당은 포만감을 느끼지 못하게 하는 작용부터 시작해 몸에 수많은 복잡한 문제들을 만들어내는데, 결론적으로 이렇게 인공적으로 만들어 진화된 맛은 우리의 '인슐린'이라는 호르몬을 교란시켜 결국 비만이라는 결론에 도달하게 만든다. 맛이 점점 진화하면 할수록 음식은 반드시 그만큼 건강과는 멀어질 수밖에 없는데, 모든 비만에 직, 간접적으로 영향을 끼치는 인슐린에 대해선 뒤에서 다시 자세히 다루도록 하겠다. 결론적으로 우리의 인류는 빛의 발전으로 인해 물질의 대량생산과 풍요로움을 얻었지만, 동시에 비만도 어쩔 수 없는 숙명처럼 얻게 되었다고 볼 수 있다. 이렇게 맛을 진화시킨 음식들은 결국 인간의 소화기관에도 큰 무리를 주게 되는데, 우선 모든 비만의 시발점은 이렇게 '장 건강의 악화'에서 출발한다고 볼 수 있다. 이러한 음식의 섭취과정들이 장기간에 걸쳐 계속 반복되다 보면, 슬슬 장이 지쳐버려 연동기능이 떨어지면서 장 속의 음식물은 전보다 천천히 이동을 하게 된다. 그리고 그렇게 점점 밀리고 밀린 음식물들은 어느 순간 장을 가득 채우며 뜨거운 내부온도에 의해 각종 가스와 독소를 발생시키는데, 더욱 치명적인 건 이렇게 움직임이 느려진 음식물들이 내장기관에 오랜 시간 체류하게 되면, 내장에 조금씩 지방이 축적되기 시작한다는 것이다. 그리고 이런 지방이 점점 쌓이고 축적되다 보면, 나중엔 결국 내장지방으로 인한 복부비만으로 발전하게 되는데, 문제는 사람의 복부라는 한정적인 공간에 내장기관까지 비대해지면, 그만큼 좁아진 통로로 인해 음식물의 이동속도가 더욱 둔해질 수밖에 없다는 것이다. 그럼 음식물들은 그렇지 않아도 연동기능이 떨어져 느려진 속력에다가 더욱 비좁아진 통로 때문에 한층 더 천천히 장을 통과해 지나야만 하는 악순환을 반복하게 된다.

이 속도가 얼마큼 느려졌는지 조사한 바에 의하면, 1960년대에 일반인의 음식물의 소장 통과시간이 고작 84분인데 반해

이상한 나라의 다이어트

2010년대에는 275분으로 무려 3배 이상이 늘었다. 이 수치의 그래프는 비만인구가 갑자기 늘어난 시기의 그래프와 어느 정도 비슷하게 맞물리는데, 이 단순한 수치는 우리가 이제껏 음식물이 장을 통과하는 시간에 얼마나 무관심했는지 알려주고 있다. 그렇게 복부에 지방이 계속 쌓여 팽창하고 팽창하다 결국 저장용량이 한계에 다다르면, 갈 곳을 찾지 못한 지방들이 결국 팔, 다리, 얼굴 등 전체부위로 퍼져나가는 순서를 갖는다. 그래서 비만이 진행되는 거의 대부분의 사람들이 가장 먼저 아랫배부터 불러오는 통과의례를 밟게 된다. 아마 살이 찐 사람 중에 불룩한 똥배가 없는 사람은 거의 보지 못했을 것이다. 그와 반대로 살이 빠질 때는 팔, 다리, 얼굴부터 먼저 빠진 후, 아랫배가 가장 나중에 빠지는 순서를 갖는다. 이렇듯 복부비만은 모든 비만의 출발지점과 종료지점에 우뚝 서있다.

요요를 경험한 많은 사람들이 공통적으로 느끼는 게 있는데, 살이 빠질 때는 너무 야속할 만큼 천천히 찔끔찔끔 빠지는 반면, 다시 찔 때는 너무 당황스러울 만큼 빠른 속도로 찐다는 것인데, 거기엔 그만한 이유가 있다. 운동을 열심히 한 어느 날 팔, 다리, 얼굴이 좀 눈에 띄게 빠져서 체중을 재보니 목표치의 절반이나 빠진 걸 확인하곤 긴장을 풀어버린 채 보상차원에서 먹어줘야 한다며 자신만의 파티를 하는 경우가 많은데, 나의 시각에서 볼 땐 절반이 아니라 아직 1도 안 빠진 상황인 것이다. 방금 얘기했듯이, 가장 중요한 복부비만이 해결돼야 음식물이 원활하게 지나갈 수 있고 축적이 안 되는데, 그게 해결되지 않았다면,

아직 근본원인은 그대로인데도 자신은 이미 절반이나 빠졌다는 착각의 함정에 빠져서 먹는 실수를 하게 되는 것이다. 이렇게 보상심리에 의해 먹는 상황은 거의 대부분 최소 한번 이상은 경험해 본 일일 것이다. 결국 복부비만이 해결되지 않은 상태에서 먹는다면, 먹는 대로 다시 금방 찔 수밖에 없다.

우리가 살이 찌는 과정과 상당히 유사한 패턴을 가지고 있는 장소가 하나 있는데, 그건 싱크대나 음식점의 하수구다. 만약 고깃집의 주방을 접해본 경험이 있다면 금방 공감할 수 있는 얘기일 텐데, 하수구에 소나 돼지기름을 자주 부으면 관에 기름이 흡착, 응고되고 막혀버려 물이 역류하는 사태가 종종 발생한다. 하수관에 기름이 한번 끼기 시작하면, 그 기름에 다른 기름이 금방 흡착해 관의 구멍이 금방 좁아지고, 결국 물이 통과하지 못해 넘쳐버리고 만다. 아직 흡착된 기름이 완전히 해결되지 않은 상황에서 다시 물을 부으면, 금방 차올랐다가 다시 조금씩 아주 천천히 내려가는 상황을 본 적이 있을 텐데, 방금 요요를 경험했던 사람의 예시를 보면, 이런 패턴과 상당히 유사하다는 걸 알 수 있다. 결론적으로 음식물이 원활하게 통과할 수 있는 진로를 확보하고 연동운동이 활발해야 하는 장의 건강부터 해결하지 못한다면, 어떠한 비만도 결코 해결할 수 없고, 해결된다 해도 일시적 일뿐 금방 다시 돌아오게 돼있다.

결론적으로 막힌 곳을 뚫어줘야 더 이상 쌓이거나 축적되지

이상한 나라의 다이어트

않아 큰 병에 걸리지 않는다는 건강법칙은 '혈관'의 경우나
'장'의 경우나 똑같다.

이 장을 건강하게 만들 수 있는 유일한 해결책은 현재로선
오직 '걷기'와 '프로바이오틱스'뿐이다.
이제 우린 장내 유익균이 얼마나 중요한지 다시 새롭게 봐야
할 때가 됐다. 이 두 가지가 이제껏 여러분의 다이어트에 없었다
면, 지금 여러분의 아랫배의 크기는 나의 공식에 비추어 볼 때
그다지 긍정적이진 못할 것이다.

우리의 억울한 인슐린은 죄가 없다

이제는 비만의 두번째 원인을 공부할 차례다.

이상한 나라에서 비만의 원인으로 규명하는 것은 딱 두 가지인데, 하나는 앞서 말한 '장 건강'이고, 하나는 바로 '인슐린'이다. 보통 복부비만이 발전하면서 인슐린에도 문제가 생기기 때문에 어떻게 보면 감기에 걸리면 기침과 열이 나듯이 둘은 밀접하게 연결된 하나의 고리라고도 볼 수 있다. 하드웨어가 고장 났는데, 그로 인해 소프트웨어까지 문제가 된 상황이라고 보면 된다. 이 인슐린은 췌장에서 분비되는 호르몬인데, 이 녀석 하나 때문에 전 세계의 모든 다이어트 법칙과 공식이 뒤죽박죽 혼란스러워졌다 해도 과언이 아니다. 인슐린이란 혈액 속의 당을 세포 속으로 집어넣어 혈당을 알맞게 조절해 주는 일을 본업으로 하는 호르몬인데, 부업으로 남은 당을 나중에 에너지원으로 쓸 수 있도록 지방으로 저장해 주는 역할도 하고 있다. 사냥을 하지 못해 장시간 음식을 섭취하지 못하는 경우가 다반사였던 원

이상한 나라의 다이어트

시시대에는 지방을 저장해 주는 이 시스템이 생존문제에 있어서 상당히 고맙고 합리적으로 작용됐지만, 이젠 음식을 늘 일정한 시간에 그것도 많이 섭취하는 바람에 본업과 부업이 뒤바뀌어버려 현재는 지방을 저장하는 일을 더 많이 하다 보니 지금은 '지방저장호르몬'이라는 억울한 누명을 쓰고 있는 실정이다. 실제로 사람에게 인위적으로 인슐린을 투여하면 살이 찌고, 투여를 중단하면 살이 빠진다. 안타까운 건 이 인슐린의 분비량이 많아질수록 그만큼 배고픔과 식탐의 크기도 같이 커지고, 음식을 많이 섭취할수록 다시 인슐린의 분비량이 많아지는 악순환이 반복되는데, 인슐린의 분비량을 높이는 가장 큰 원인을 대부분의 전문가들은 현대인의 식습관이나 스트레스라며 사람을 지적하지만, 이상한 나라에서는 1초의 망설임 없이 우리가 먹는 음식이라고 단호하게 말하고 있다. 이 인슐린은 우리 눈에 보이지 않게 교묘하게 작용하기 때문에 오랫동안 의심을 받거나 발각되지 않은 채 오로지 칼로리만을 부르짖으며 우리가 헛된 노력과 돈을 열심히 다이어트 시장에 쏟아붓고 있을 때, 그 장면을 신기하다는 표정으로 조용히 뒤에서 숨죽여 지켜보고 있었다. 가장 먼저 몸 안의 췌장부터 봤어야 했는데, 우리는 엉뚱하게도 몸 밖의 살과 근육만 바라보고 있던 셈이다.

만약 배가 고프지 않은 상태에서도 어떤 특정 음식을 보고 참지 못한다면, 이미 음식중독증일 확률이 큰데, 그 중독증에 빠져 계속 먹다 보면 점점 인슐린 분비량이 올라가게 된다.

그런데 이 분비수치가 높으면 아무리 적게 먹어도 저장활동을 많이 하기 때문에 살이 많이 찌게 되고, 수치가 낮으면 음식을 많이 먹어도 저장활동을 많이 하지 않기 때문에 쉽게 살이 찌지 않기 때문에 나는 물만 먹어도 살이 찌는데 쟤는 어떻게 저렇게 많이 먹어도 안 찌냐는 전 국민의 미스터리에 대한 해답은 결국 인슐린이었던 것이다. 이 인슐린 수치를 천천히 다독거리며 낮춰주기만 하면, 체중은 알아서 감량이 되는데, 현재 우리의 다이어트는 이런 원리를 전혀 모른 채 급박하게 몸에 충격과 무리를 가하는 단순하고 무자비한 방식들뿐이다. 그건 앞서 말했듯 '근력운동'과 '단식'이다.

우선 뱃살 500g을 빼기 위해선 윗몸일으키기를 25만 번이나 해야 된다는 버지니아 대학 실험의 연구결과로 인해 근력운동은 살은 빼는 데 있어 인간에게 너무나 비효율적이라는 결론이 도출됐고, 일시적으로 빠진다 해도 일정기한이 지나면 다시 돌아가게 돼있다는 연구는 미국에서 수 만 명을 대상으로 진행한 다이어트 실험에서 나왔다. 고작 한 주먹만큼의 살을 빼기 위해서 윗몸일으키기를 하루 700개씩 1년을 해야 된다는 계산만큼 우리 몸의 감량은 운동과는 다소 어색한 관계에 있다. 두 번째로 장기적인 단식은 우리 몸에 일시적으로 영양공급을 차단하기 때문에 몸은 이를 기억하며 축적해 놓았다가 나중에 부족한 만큼 폭식을 유도하게 된다. 그래서 모든 다이어터들의 성서에 굶는 다이어트는 반드시 실패한다는 내용이 기록으로 남게 됐다. 인슐린수치를 낮추기 위해선 섭취총량을 줄여 소식을 해야 하기 때문에 어쩔 수 없이 초반에 익숙하지 않은 배고픔을 겪어

이상한 나라의 다이어트

야 하는데, 우리가 감수해야 할 고통은 그 정도면 충분하다. 운동까지 한다는 건 급한 마음에서 비롯된 욕심의 산물이고, 실제 올바른 방식으로 감량시켜보지 않은 사람들이 만약을 대비해 갖다 붙여놓은 보험에 불과하다. 이 인슐린 분비수치를 낮추기 위해서 많은 방법들이 동원됐지만, 그중에 가장 효과적인 게 간헐적 단식이다. 이 방식은 자신의 영양상태를 고려하지 않은 채 무작정 한 방향으로만 무식하게 달리는 막무가내 단식과는 달리 체계적인 생체시간이 존재함으로써 훨씬 안정적으로 업그레이드된 버전이라고 볼 수 있다.

간헐적 단식은 아마 지금은 모르는 사람이 없을 정도로 유명하지만, 그에 반해 무슨 이유인지 그 이름값만큼의 실효는 거두지 못하고 있는데, 그 이유는 바로 FMD(Fasting Mimicking Diet)가 빠져있어서 그렇다.

FMD란, 음식을 먹어도 단식을 한 것 같은 효과를 나타내는 단식모방식단을 말하는데, 간헐적 단식과 FMD가 만날 경우 그 효과는 폭발적으로 극대화되며 기존의 모든 상식들이 깨지는 놀라운 결과가 나온다.

결론적으로 인슐린 수치를 낮출 수 있는 가장 유일한 해결책은 현재로선 FMD가 조합된 간헐적 단식뿐이라고 할 수 있다.

이상한 나라의 신기한 음식들

　수많은 감량을 진행하면서 발견한 흥미로운 사실이 하나 있는데, 그건 대상자들이 배고픔은 비교적 잘 참는데 비해 맛의 갈증에 대해선 놀랄만큼 참기 힘들어한다는 것이다. 이건 필자가 풋내기 시절일 때 3일간 단체로 단식을 진행하면서 알게 된 사실인데, 대상자들이 배고픈 건 참을만한데, 입에서 자꾸 뭔가가 당겨서 힘들다고 하소연을 하길래 여린 마음에 어쩔 수 없이 사탕을 하나씩 허용해 줬더니 그 한알로 모두가 아무런 불평불만 없이 하루를 조용히 보내길래 적지 않게 놀란적이 있었다. 이 맛에 대한 부분은 다른 여러 가지 상황들에서도 발견됐는데, 결국은 이제껏 배고픔인 줄 알고 싸워왔는데, 정작 숨어있던 진짜 우리의 숙적은 맛이었던 것이다. 그래서 단식도 배고픔에서 느끼는 고통보다는 맛에 대한 갈증에 대한 대비책이 없기 때문에 늘 한계에 부딪히는 거라고 볼 수 있다. 대상자들에게서 가장 먼저 공통적으로 발견되는 습성이 바로 이 맛에 대한 애착인데, 문제

　　　　　　　　　　　　　　　이상한 나라의 다이어트

는 이 애착 때문에 음식의 안 좋은 부분까지 좀처럼 보려 하지 않는다는 것이다.

심지어 대중적으로도 이미 안 좋다고 검증된 음식들조차 좀처럼 보려고 하지 않는다. 이 맛에 대한 애착은 인간의 본능과 직결된 강한 힘이 있기 때문에 마트에 진열된 대부분의 식품은 안전하다고 믿을 수 있게 만든다. 검색창에 액상과당 하나만 넣어 봐도 수많은 정보를 얻을 수 있지만, 아마 검색해 본 사람은 정말 많지 않을 것이다. 몸에 안 좋다는 걸 이미 알고 있다 해도 먹어도 안 죽는다며 가공식품들을 별 거리낌 없이 카트에 쉽게 담아버리는데, 내 건강보다는 맛에서 느끼는 만족감이 더 크기 때문이다. 이런 무의식적인 증상은 각종 다이어트 영상이나 SNS, 카페 같은 곳에서도 쉽게 확인할 수 있는데, 어떤 특정 음식을 먹지 말라는 경고성의 정보는 많은 사람들이 외면하고 기피해서 인기가 없는 반면, 어떤 특정 음식이 감량에 도움이 된다며 실컷 먹어도 좋다는 정보에는 사람들이 우르르 몰리며 열화와 같은 성원과 공감을 보내는 상황이다. 당장 커피의 유해성이나 밀가루의 장 누수만 검색해 봐도 이미 검증된 확실한 정보들이 나오지만, 조회수나 방문자수가 없어 인기가 없는 반면, 무슨 커피가 몸에 좋다거나 어떤 빵이 살이 안 찐다는 등 전혀 검증되지도 않은 영상이나 정보들에는 방문자수가 믿기지 않을 만큼 폭발적이다.

이 맛에 대한 애착은 너무나 강렬한 나머지 잠시라도 떼어놓는다는 게 상당히 힘든 일이라서 남의 체중을 감량시키는 일이 정말 가능하긴 한 것인가 하는 회의감을 수도 없이 느껴야만 했다.

다이어트도 결국 모든 걸 잠시 멈춰서 쉬어가는 작업이다.

공부나 운동을 쉬지 않고 계속하게 되면, 머리나 몸에 과부하가 오기 때문에 효율을 위해 중간에 쉬는 시간이 존재하듯이 다이어트도 기존에 먹어왔던 걸 멈추고 잠시동안 다른 음식으로 대체해야 하는 과정인데, 커피를 단 한 달만 중지하자고 해도 당장이라도 세상이 무너질 것 같은 침통한 표정을 만들기 일쑤다. 정보나 지식이 부족하기 때문에 결국 본능이 이성을 앞질러버린 안타까운 상황이지만, 이럴 땐 대상자의 몸에 커피가 실제로 어떤 작용을 해서 어떤 영향을 주게 되는지 차근차근 설명해서 이해를 시켜주면 행동을 바꾸게 된다. 이렇듯 이 책에서 가장 중요시하고 강조하는 1순위는 본인이 알아야 된다는 것이다. 많이 알고 있는 만큼 많이 빠지고, 그만큼 오래 유지를 할 수가 있다. 대상자들과 힘겹게 서로 씨름을 해가며 식습관을 고치는 트레이닝을 할 때는 안 빠지던 체중이 지식과 원리를 알려주고 나니 그때서야 빠지기 시작했다는 통계가 있는데, 이렇듯 올바른 지식과 원리를 장착하게 되면, 스스로 몸을 통제할 수 있는 장기적인 습관이 만들어지게 된다. 가령 우리 몸을 젊어지게 하는 '성장호르몬'이 유일하게 공복 일 때만 분비된다는 사실을 알려주면, 그 사람에게 단식은 그 순간부터 서로 힘겹게 씨름을 해야 하는 고통이

이상한 나라의 다이어트

아니라 언제든 스스로 할 수 있는 즐거움으로 변하게 되는 것과 같다. 이런 장기적인 습관의 변화는 오직 감량만을 위한 단기적인 행동 매뉴얼과는 차원이 다른 가치를 가진다. 그러므로 아는 만큼 비용이 줄어들고, 모르는 만큼 지출은 커질 수밖에 없다. 이 점은 앞으로도 누누이 강조하겠지만, 앞에서 설명했던 막힌 싱크대의 예시처럼 먼저 문제의 원리를 알아야 해결할 수가 있고, 그러기 위해선 눈으로 직접 문제를 봐야만 한다.

이쯤 되면 이제 음식을 한번 살펴보지 않을 수 없다. 필자가 조사하면서 알게 된 사실인데, 인간의 몸에 대한 전문가는 수없이 많은 반면, 음식에 대한 전문가는 그다지 많지 않다는 것이다. 비만의 직접적인 원인이 음식인데도 말이다. 여기서 말하는 전문가란 음식을 조리하는 요리사가 아닌 음식재료의 오염도나 실제 영양성분을 측정하는 전문가를 말한다. 하긴 수많은 음식재료가 어떤 새로운 최신성분의 비료로 재배되고, 어떤 배합의 신상 감미료가 첨가되는지 하루가 멀다 하고 바뀌지만, 그 바뀐 성분들이 인간에게 어떤 영향이나 유해성을 가지는지 그 변화를 일일이 좇는다는 건 아마 NASA가 달려든다 해도 불가능할 것이다. 이렇게 빠른 속도로 진화하는 음식의 속도에 비해 그 유해성을 분석하는 지식의 속력은 턱없이 느린 편이다. 그러니 우리의 비만이 계속 표류할 수밖에 없는 게 어찌 보면 당연한 일일지도 모르겠다. 앞으로의 내용들은 조금 불편을 느낄 수도 있는 부분이 있으니 감안하기 바란다.

미국에서 소득 수준과 비만의 상관관계에 대해 연구해 본 결과 재미있는 통계가 나왔는데, 흥미롭게도 소득 수준이 낮은 빈곤층일수록 비만율이 훨씬 높게 나온 것이다. 그래서 각각 섭취하는 음식을 비교해 봤는데, 유일한 차이점은 밀가루처럼 값이 싼 '정제된 탄수화물'이었다. 빈곤층은 값이 싼 밀가루 음식을 거의 주식으로 먹었지만, 그 대신 비만을 얻게 되었고, 그런 패스트푸드가 언제부턴가 우리나라에도 빠르게 보급되면서 역시 비만이 급속도로 확산되기 시작했다. 밀가루는 정신 쪽의 질환도 야기하게 되는데, 처음 상담할 땐 상당히 차분하고 조용한 성격이었던 대상자가 일단 프로그램만 시작하면, 괴팍하거나 갑자기 공격적으로 돌변하는 경우가 종종 있었다. 재밌는 건 대상자들도 처음 보는 자신의 그런 모습에 적잖이 당황해한다는 것이다. 특히 고도비만인 경우 이런 유형이 많이 나타나는데, 상당히 예민한 편인 데다가 분노조절까지 힘들어 표독스러운 모습을 자주 보이곤 한다. 이런 경우 밀가루 음식의 차단이 가장 시급하기 때문에 대상자를 설득하기 시작한다. 실제로 밀가루를 차단했을 때 통상적으로 성격이 온순하고 차분해지며 화를 내는 모습이 확연히 줄어드는데, 그런 변화는 자신보다 보통 주위 사람들이 먼저 알아차리게 된다. 하지만 설득하는 작업은 생각보다 쉽지 않기 때문에 '엑소르핀'이나 '아밀로펙틴 A'부터 인간의 정신병에 직, 간접적인 영향을 끼쳐왔다는 각종 자료들까지 보여줘야 하는 강의 아닌 강의를 해야 한다.

또 다른 문제는 갈수록 우리가 섭취하는 음식물의 영양분이 점차 감소되고 있다는 것이다. 하버드 대학과 도쿄대학이 연구한 바로는 지구 온난화로 인해 쌀, 밀과 같은 주곡작물들이 단백질을 비롯한 대부분의 영양가치가 현저히 줄어들었다는 결과가 나왔다. 이는 농약으로 인한 토양오염을 비롯해 대량생산을 위해 한정된 땅에서 여러 번을 수확해내야 한다는 점이 원인이 되고 있다. 문제는 이런 작물의 영양분이 감소되면 섭취하는 우리 몸은 더 큰 배고픔을 만들어낼 수밖에 없다는 것이다. 음식을 많이 섭취했는데도 충분한 영양이 들어오지 않았다면 몸은 부족한 만큼 배고픔을 만들어 낼 수밖에 없고, 또 그만큼의 음식량을 섭취하게 되면, 그 추가된 만큼 우리는 살이 찔 수밖에 없다.

세 번째는 우리가 현재 섭취하는 대부분의 육류는 옥수수사료로 키워지고 있는데, 이는 많은 문제점을 낳고 있다. 사료가격이 저렴하면서도 성장속도가 빨라 가축의 몸이 금방 비대해지기 때문에 판매자의 수익률은 극대화되지만, 각종 염증을 일으키는 부작용 때문에 가축들은 각종 항생제를 투여받으며 자라야 한다. 이런 육류를 섭취하는 인간의 몸 역시 빠르게 비대해지는 상관관계에 대해서 현재 많은 연구가 진행 중이다. 심각한 문제는 현재로선 옥수수사료 외에 마땅한 대체재를 확보하기 힘든 생산 및 유통구조를 가지고 있다는 것이다.

훨씬 더 심각한 얘기들이 많지만, 음식얘기는 여기까지만 하

겠다. 모두 나름 어느 정도 안 좋다는 건 알고 있었겠지만,

막상 이렇게 실체를 뒤집어놓으니 듣기 거북하거나 불편할 수도 있을 것이다. 필자 역시 조사했던 내내 적지 않은 메스꺼움을 느껴야 했다. 이런 음식들을 주메인메뉴로 먹어왔으니 우리 몸이 온전한 게 오히려 더 이상할 수 있을 것이다.

하지만 나와 똑같은 음식을 먹어야 하는 가족들을 생각한다면, 최소한 음식이 어떻게 어떤 방향으로 흘러가고 있는지

이젠 한 명 정도는 감은 눈을 떠서 파악은 하고 있어야 한다.

이 모든 것들이 그저 단순히 몸에 좀 안 좋은 정도가 아니라 우리 온몸에 덕지덕지 달라붙은 지방부터 더 나아가 각종 암의 원흉이 되기 때문이다. 정리하자면, 현재 거의 모든 음식물은 오염이 된 데다 영양분마저 현저히 감소됐기 때문에 우린 지금 단지 허기만 채우기 위해 실체가 없는 허상을 먹고 있는 것과 다름이 없다고도 볼 수 있다. 실상을 알고 보니 그럼 도대체 뭘 먹으라는 소리냐며 항의할 수도 있겠지만, 최소한의 관심을 갖고 기본적인 노력만 한다면 일단 최악의 결과는 피해 안전지대에는 머무를 수 있을 것이다. 첫 번째로 가공식품을 가려내려는 노력은 반드시 의무적으로 해야 하고, 두 번째로는 어쩔 수 없이 안 좋은 음식을 먹게 되더라도 원활히 배출시킬 수 있는 방법을 알고 있어야 한다. 실제로 필자는 안 좋은 음식을 최대한 가려내고 있지만, 어쩔 수 없이 섭취하더라도 충분히 배출을 시켜 최대한 방어하고 있다. 원 재료를 기계에 넣어서 모양을 변형시켜 만든 대부분의 가공 식품은 우리의 비만과 암에 심각한 영향을 준다는

연구결과는 계속해서 보고되고 있는 실정인데도 우리 대부분은 불편한 이 사실을 회피하고 외면하려는 경향이 큰 데다 지금은 도대체 어떤 게 가공식품인지 분간할 수조차 없을 만큼 우리 생활에 깊숙이 자리 잡아버린 상태다. 가공식품이 별로 없던 과거 시절에는 모든 음식물에 영양소가 풍부했고, 그걸 먹어왔던 우리 어른들은 대체적으로 날씬했다는 건 지금 먼지 쌓인 옛날 앨범만 꺼내봐도 바로 확인할 수 있을 것이다. 물론 모든 걸 완벽하게 가려낸다는 건 거의 불가능하겠지만, 가공식품을 멀리하지 못한다면, 단언컨대 여러분의 체중과 건강은 제아무리 세계 일류의 저명한 의학박사가 온다 해도 해결하기 힘들 것이다.

비만을 부르는 유령 - 가짜 배고픔

이번은 음식이 만들어내는 가짜 배고픔에 대해서 알아볼 차례다. 가짜 배고픔이란 밥을 먹은 지 2~3시간밖에 안 지났는데도 또다시 출출해짐을 느끼는 '심리적인 허기현상'으로 많은 사람들이 흔하게 일상적으로 겪고 있는 현상이다.

실제 체내 영양분이 부족해서 만들어지는 생리적인 허기인

진짜 배고픔과는 달리 가짜배고픔은 음식섭취가 전혀 필요하지 않은 상황인데도 우리 몸에서 섭취신호를 보내는 기이한 현상인데, 여러 가지 원인이 있지만, 그중에 대표적인 원인으로는 '밀'이 가지고 있는 특이한 포도당 반응을 들 수 있다.

밀의 '아밀로 펙틴 A'는 체내의 혈당을 2시간 만에 급격히 끌어올렸다 떨어뜨리기를 반복하는데, 이렇게 혈당이 급격하게 떨어질 때 우리 몸은 생존방어시스템이 가동되어 이 상황을 위험이라고 인식하면서 음식을 빨리 집어넣으라는 가짜 배고픔을 만들어 내게 된다. 문제는 이런 가짜 배고픔을 진짜로 착각해 수동

적으로 계속 먹는 행위를 반복하게 되면, 우리의 체중은 기하급수적으로 불어날 수밖에 없는 것이다. 설상가상으로 밀에는 강한 중독성을 갖게 하는 엑소르핀 성분까지 들어있는데 이는 가짜 배고픔의 견인차 역할을 해주고 있다.

필자는 이 가짜 배고픔을 전 인류가 겪고 있는 비만의 가장 심각한 원인 중의 하나로 보고 있다.

더 안타까운 건 현대인들의 배고픔에 대한 내성도 같이 약해지고 있다는 것이다. 이 내성이 얼마나 약한지 요즘은 한 두 끼만 굶어도 안절부절못하고 초조하게 행동하는 사람들이 많아지고 있다. 음식이 부족했던 시절엔 배고픔이 별 대수롭지 않은 생활의 일부였지만, 대신 몸매는 날씬하고 건강했다.

하지만 음식이 너무나 풍요로운 지금은 배고픔을 느낄 새가 없이 수시로 먹으니 그만큼 배고픔에 대한 참을성이 약해지면서 비만을 떠안게 됐고, 건강은 악화됐다.

인류는 배고픔이란 걸 느끼며 진화해 왔고, 배고픔을 느껴야 몸에 좋은 호르몬들이 분비되도록 만들어졌으며, 배고픔을 느껴야 젊고 건강해지도록 설계돼 있다. 이는 '안 먹으면 빠진다'는 지극히 단순한 논리와는 차원이 다른 고난도의 과학이다. 하지만 배고픔을 느끼면서 지금 내 몸이 건강해지고 있다고 생각하는 사람은 거의 찾아보기 힘들고, 왠지 불쾌하고 고통스럽다는 걸 넘어 이러다 건강에 뭐가 문제가 생기는 건 아닐까 하는 걱정과 불안함을 느끼는 경우가 대부분일 것이다. 문제는 이런 가짜 배고픔의 존재를 모르는 수많은 사람들이 이걸 해결하기 위해 정신적인 부작용이 심한 식욕억제제까지 손을 대는 위험한 행동을 한다는 것이다. 어쩔 수 없는 나름의 탈출구였겠지만, 단지 가짜배고픔을 구분해 낼 수 없는 희생치고는 너무 가혹한 형벌이 아닐 수 없다.

우리는 가짜 배고픔이 존재한다는 걸 반드시 인지해야 하고, 진짜 배고픔과 확실히 구별해서 음식을 섭취해야만 한다. 그렇지 않으면, 필요없는 음식들이 채워놓은 여러분의 손목과 발목의 족쇄를 영원히 끊을 수 없을 것이다. 만약 방금 전에 배고픔을 느꼈는데, 배에서 아무런 소리가 나지 않았다면, 그건 명백한 가짜 배고픔이다. 그럴 땐 바로 음식의 포장지를 뜯지 말고 30분만 기다려보기 바란다. 그러면 언제 그랬냐는 듯 가짜 배고픔이 당신을 조롱하며 사라지는 걸 확인할 수 있을 것이다.

이상한 나라의 다이어트

Part
2

가짜 배고픔을 일시에 없애주는 하얀
여왕 소환법 - PC

다음은 가짜 배고픔을 일시에 제거하는 방법에 대해 설명해 보겠다.

누군가 나에게 이 방법의 가치가 얼마냐고 물어본다면, 난 언제든 1초의 망설임 없이 적어도 수천 만원의 가치가 있다고 대답할 수 있다.

여러분이 만약 필요 없는 가짜 배고픔을 방금 느꼈는데, 그 배고픔을 즉각적으로 제거시켜서 쓸데없이 지출할뻔한 음식에 대한 비용과 시간을 아끼고, 그로 인해 얻을 수 있는 건강 때문에 사 먹지 않아도 되는 알약과 진료비용까지 남은 평생의 기간으로 계산해 본다면, 최소 그 정도의 가치는 충분히 되고도 남을 것이다.

하지만 애석하게도 이 방식을 진지하게 받아들여 마스터한 사람은 불과 채 5%도 되지 않는다.

그 원인이 뭔지 파악해 보니 황당하게도 그저 낯선 어색함뿐이었다.

과장이나 거짓말이 아니라 단지 그 이유뿐이다.

이 방식이 따로 돈이 드는 것도 아니고, 어떤 힘든 노력을 해야 하는 것도 아니며, 심지어 말도 안 되게 쉬운 방식인데도 단지 낯설고 어색하다는 이유만으로 유용하게 사용하는 사람은 그다지 많지 않다.

대부분 처음엔 좀 신기하다는 반응을 보이다가 그 뒤로 몇 번 더 진행해 보곤 어느 순간 마음의 장롱 속에 조용히 모셔두는 게 일반적인 패턴이다.

그러니 누구든 얼마만큼 적극적으로 활용하느냐에 따라 한낱 휴지조각이 될 수도 있고, 반대로 당첨된 거액의 복권이 될 수도 있을 것이다.

NLP(신경언어프로그래밍)에 기반을 둔 이 방식은 가짜 배고픔의 문제를 완벽하고 깔끔하게 해결해 준다.

이건 누구나 이미 갖고 있는 능력이지만, 단지 사용하는 방법을 모르기 때문에 이제껏 쓰지 못해 썩히고 있던 뇌 속의 엔진이라고 얘기할 수 있다.

이 엔진을 막상 구동시켜 보면, 우리 몸은 생각보다 우리의 말을 잘 듣는다는 것을 알게 될 것이다.

필자가 만든 명칭은 Press with consciousness 즉, '의식으로 누른다'는 뜻으로 간단하게 줄여서 'PC'라고 명명하고 있다.

몇몇 사람들이 이걸 명상법과 비슷하다고 하는데, 명상은 마음을 차분하게 비우는 과정인데 반해 PC는 반대로 몸에 인위적인 명령을 주입해 즉각적인 반응을 이끌어낸다는 점에서 차이를 갖는다.

한번 만에 잘 되는 사람도 있는 반면, 잘 안 되는 경우도 있는데, 중학생들도 성공했던 방식이기 때문에 몇 번 실패한다 해도 누구든 계속 시도하다 보면 마스터할 수 있다.

현재로선 일반인이 가짜 배고픔을 구별할 수 있는 가장 쉬운 방법은 배에서 나는 소리인데, 만약 배고픔을 느꼈을 때 배에서 아무런 소리가 나지 않았다면, 가짜 배고픔이기 때문에 이때는 PC를 진행해서 제거해야만 한다.

방식은 다음과 같다.

1) 연결작업

배고픔이 느껴지면, 의자나 바닥에 편하게 앉은 다음 천천히 눈을 감는다.

그리고 눈을 감은 상태에서 우선 마음의 눈으로 뱃속의 위장을 내려다본다고 상상을 한다. 감은 눈의 시선은 정면을 바라보고 있지만, 마음의 눈으로 내 뱃속의 위를 내려다보는 시각화를 할 수 있다면, 우선 연결작업은 끝이다.

2) 명령어 입력

이젠 배고프다고 울부짖는 위를 향해 조용히 하라는 명령을 내린다.

이 명령어는 자신이 편한 대로 생성해서 만들면 되는데 필자 같은 경우엔 단순하게 '조용히 해', '조용히 해', '조용히 하자' 이런 멘트로 명령을 한다.

명령어는 입 밖으로 내뱉는 게 더 효과적인데, 주위에 누군가 있다면, 소리 내지 않고 마음속으로 진행해도 무방하다.

이때 내리는 명령어는 근엄하고 강단 있게 하는 게 좋다.

3) 명령어 수행

이렇게 명령어를 보통 10번 정도만 반복하면, 배고픔이 조용하게 천천히 내려가기 시작한다. 보통 10~15초 정도 후에 배고픔이 내려가기 시작해서 30초~1분이면 거의 배고픔이 느껴지지 않을 만큼 바닥으로 내려간다.

잠시 후, 배고픔이 다 내려갔다 생각되면, 천천히 눈을 뜨면 되는데, 아직 끝난 상태가 아니고 다시 재반복을 해야 하니 그 상태 그대로 움직이지 말고 대기해야 된다.

여기서 중요한 건 배고픔이 완전히 끝까지 내려간 다음에 눈을 뜨며 연결을 끊어야 한다는 것이다.

이상한 나라의 다이어트

4) 2차 연결

이렇게 1차 작업이 끝나고 나서 3~5분 정도가 경과되면, 방금 전과 같은 배고픔이 또 다시 조금씩 올라오기 시작한다.

그럼 1번 과정을 다시 똑같이 재차 반복해서 진행한다.

그런 다음 1회 차 때와 같이 배고픔이 완전히 끝까지 내려간 다음에 눈을 뜨면서 연결을 끊는데, 아직까지 끝난 게 아니니 그 상태로 계속 대기한다.

횟수가 거듭될수록 배고픔이 빨리 내려가는 것을 느낄 것이다.

5) 3차 연결

두 번째 2회 차까지 진행을 끝내도 다시 세 번째 3회 차까지 배고픔이 계속 다시 올라올 것이다.

이때도 다시 똑같이 재 반복을 하고, 배고픔이 끝까지 내려간 다음에 연결을 끊는다. 연결을 끊은 후에 5~10분이 지났음에도 더 이상 배고픔이 올라오지 않는다면, 완전한 종료라고 볼 수 있다. 보통 입문자의 경우 3~5회 세트까지 진행할 경우 가짜 배고픔이 완전히 사라지는데, 평소 배고픔이 심한 사람의 경우, 많게 는 10번까지 진행해야 했던 경우도 있었다.

어느 정도의 수준에 오르게 되면, 눈을 감지 않고 눈을 뜬 상태 에서도 할 수 있고, 심지어 업무를 보면서도 동시에 할 수 있으며, 어느 정도 경지에 오르면 명령어 없이 단지 의식하는 연결작업만 해도 배고픔이 알아서 없어진다.

세트의 횟수도 점점 줄어 나중엔 1~2번 만에 끝나게 되는데, 몇 번 꾸준히 진행하다 보면 절차나 시간이 대폭 줄어들게 된다.

그리고 생각보다 내 말을 잘 듣는 신기한 나의 몸을 발견할 수 있을 것이다.

이 PC를 완전히 마스터한다면, 내가 이제껏 얼마나 필요 없는 거짓 배고픔들을 느껴왔는지, 그리고 그것 때문에 얼마나 필요 없는 많은 음식들을 먹어왔는지 깨닫게 될것이다.

이건 일상생활에서도 응용해서 활용할 수 있는데, 만약 화장실이 당장 급한 난감한 상황일 때 이 방식을 그대로 적용하면, 어느 정도 진정이 되며 상당한 시간을 벌 수 있다.

어느 정도 수준에 다다르면 음식을 먹고 가볍게 체했을 때도 이용할 수 있으며 심지어 장의 연동작용까지도 관여할 수 있다.

PC는 초반 일주일 정도는 열심히 잘 진행했다가 점점 게을러지면서 나중엔 아예 손을 놓아버리는 케이스가 흔한데, 배고프면 일단 무작정 참는 쪽이 너무 오랜기간 익숙하게 해왔던 습관이라서 차라리 그쪽이 귀찮지 않고 편하게 느껴지기 때문이다.

그러니 이 점을 인지하고 조금 귀찮더라도 반드시 PC를 습관화해서 배고픔을 성실하고 꼼꼼하게 제거해야만 한다.

이걸 꼭 해야만 하는 이유가 있는데, PC 한 번이 당장의 일시적인 가짜 배고픔만을 제거해 주는 것이 아니라 미래에 느끼게 될 가짜 배고픔 들까지 미리 제거해 주기 때문이다.

이상한 나라의 다이어트

이건 필자가 직접 실험을 통해 체감한 부분인데, 중간에 궁금해서 한번 중단을 해봤는데 그 뒤로 느껴야 했던 가짜 배고픔들의 횟수가 현저히 줄어들었기 때문이다. 물론 여러 가지 다른 원인들이 작용했을 수도 있겠지만, 다른 어떤 특별한 것을 하지 않았는데도 그 효과가 무려 1년 정도까지 유지된 것을 보면, 아무런 영향이 없다고는 말하기 힘들 것 같다. 그래서 난 가끔 가짜 배고픔과 만날 때, 이걸 오히려 굴러들어 온 감이면서 미래의 건강을 위한 저축이라고 생각하고, 매번 빠뜨리지 않고 확실하게 PC로 누르는 편이다.

PC는 이래도 되나 싶을 정도로 배고픔을 초월하게 해 주는데, 어떤 때는 최장 2일간 음식을 먹지 않아도 전혀 배고픔을 느끼지 않았던 적도 있었다. 물론 활동하는데 전혀 힘이 들거나 쳐지는 일 없이 몸은 오히려 가뿐하고 활력이 넘쳤다. 단, 충분한 영양분을 섭취했을 때라는 전제조건이 붙는다.

현존하는 가장 유일한 최선의 감량 방법

결론부터 얘기하자면, 현재로선 안전하고 건강하게 감량을 하기 위한 길은 오로지 단 한 가지밖에 없다.

그건 바로 침대 위에 누워서 일정기간 물 이외에 아무것도 먹지 않고, 오직 영양수액만 맞는 것이다.

그 기간도 오래 할 필요 없이 단 한 달뿐이다.

오염된 음식을 차단하고, 대신 순수한 영양분을 몸 속에 주입하는 것이다.

단언컨대 어처구니없이 황당할 만큼 지극히 단순한 이 방법이 전 인류의 다이어트를 종결 지을 수 있는 유일한 길일 것이다.

이렇게만 할 수 있다면, 누구든 서서히 복부비만이 줄어들고, 인슐린 수치가 현저히 떨어지며, 자가포식이 발생되며 몸이 허용하는 가장 빠른 시간 안에 가장 많은 체중을 감량할 수 있다.

멈춰있던 크고 작은 온몸의 기관들이 제 역할을 찾아 정상적

이상한 나라의 다이어트

인 활동을 하기 시작하고, 닫혀있던 좋은 호르몬과 분비물들이 쏟아져 나오며 몸의 시간을 비만전의 건강한 상태로 빠르게 되돌려 놓게 된다. 칼에 손이 베었을 때 그냥 놔둬도 스스로 치유되는 원리와 같다고 보면 된다.

이 단순한 방식은 쓸데없이 칼로리를 계산하거나, 기초대사량이나 운동 같은 고통 없이 가장 빠른 시간에 체중이 현저히 감량될 뿐만 아니라 생체나이도 젊어져 오히려 활력이 넘치게 만들어준다.

만약 여러분이 파란색 피가 흐르는 외계인이 아니라면, 이 방식이 현재로선 가장 이상적이고 안정적이며, 확실한 방법이라고 할 수 있다.

이제 여러분은 방금, 전 세계 어디에서도 찾아볼 수 없는 엄청난 감량의 비밀을 알게 된 것이라고 볼 수 있다.

이제 드디어 여러분의 인생에 있어 모든 다이어트는 평생 종결됐다는 희열을 느끼며 비명을 지르고 싶은 사람도 있겠지만, 잠깐만 진정하고 다시 한번 생각해 보자.

이렇게 단순하고 심플한 방식임에도 불구하고 다시 한번 진행 방식을 자세하게 듣게 된다면, 누구든 조금 심각한 표정이 될 것이다.

한 달 동안 아무것도 먹지 않는 건 그렇다 쳐도 무엇보다 직장에는 나가야 생계가 유지될 텐데, 한 달간 누워있어야 된다는 건 아무래도 고민이 좀 될 것이다.

자 그럼 좋다.

한 발 양보해서 침대에서 일어나 회사에는 갈 수 있도록 허용해 준다고 하자.

대신 수액은 들고 다니거나 사무실 책상 옆에 세워놔야 한다.

이러면 최소의 사회생활은 유지하며 생계는 유지할 수 있을 것이다. 그럼 이 정도 양보하는 조건이라면 이 프로젝트를 완벽히 끝낼 수 있을지 다시 한번 물어봐야 한다.

그런데 이쯤에서 다시 물어봐도 대부분 전과 똑같이 고개를 갸우뚱할 것이다.

아무래도 직장 내에서 수액을 거추장스럽게 들거나 끌고 다니며 일을 한다는 건 아무래도 영 불편하기 때문이다.

자 그럼 좋다.

백 번 더 양보해서 수액을 맞는 대신 하얀 영양 죽을 만들어 먹는다고 가정해 보자.

단 한 달 동안이다.

그럼 민망하게 수액을 들고 다니지 않아도 되고, 게다가 먹는 행위까지 할 수 있게 된다.

그리고 보통 이 단계까지 왔을 때 대부분 그 정도면 충분히 할 수 있을 것 같다고 두 주먹을 불끈 쥔다.

하지만 놀랍게도 실제 통계는 이마저도 쉽지 않다는 결과를 보여준다.

이렇게 번거롭게 수액을 들고 다니지 않게 해 주고, 먹는 행위까지 할 수 있도록 아무리 양보하고 맞춰준다고 해도

인간의 맛에 대한 본능은 무서울 만큼 강하기 때문에 외부의

환경이 조금이라도 열린다면, 바로 뛰쳐나가버리기 때문이다.

여기까지 얘기했을 때, 그럼 영양죽 대신에 영양이 풍부한 음식들을 먹으면 되지 않냐고 반문할 수 있겠지만, 그건 우리가 음식에 대한 거대한 믿음과 착각을 가지고 있기 때문에 하게 되는 흔한 발상인데, 냉정하게 말하면 감량에 필요한 충분한 영양분을 섭취하려면, 야채나 곡물을 하루에 대여섯 접시를 매일 먹어야 한다는 말도 안 되는 계산이 나오게 된다.

자신이 이제껏 먹어왔던 갖가지 군침 도는 맛있는 음식들의 겉모습과 냄새에 도취되어 영양성분도 충분할 거라고 믿고 싶겠지만, 현실은 그렇지 않기 때문에 이 문제는 언제나 무한히 반복되는 딜레마가 될 수밖에 없다.

빵빵한 과자봉지를 뜯었는데, 고작 몇 조각밖에 먹지 못하면

우리가 무척 화를 내듯이 빵빵한 과자봉지 같이 영양이 텅 빈 음식들만 계속 집어넣으니까 우리 몸도 화를 내고 있는 것이다.

상황이 이러니 전 세계의 그 어떤 저명한 전문가들이 달라붙어도 비만을 완벽히 해결할 수가 없는 것이다.

저명한 박사님들이 장화를 신고 전혀 오염되지 않는 비옥한 땅에 들어가 초절정 유기농 방식을 연구해 가며 오염되지 않고, 영양마저 풍부한 음식재료를 농약 없이 손수 재배할 수 있다면 가능할지도 모르겠다.

여기에다 대상자들의 감량을 위해선 병실처럼 외부환경과 차단된 폐쇄적인 공간까지 필요하지만, 대부분 일을 하며 생계를 이어가야 한다는 복합적인 문제까지 겹치기 때문에 다이어트는

언제나 서로 뚫기 힘든 창과 방패처럼 풀기 힘든 모순적 난제가 될 수밖에 없다.

이런 이유 때문에 실제 혼자 밀폐된 환경에서 일하는 1인 자영업자나 주부들의 성공률이 대체적으로 높게 나오는 결과를 보인다.

이렇게 오염된 음식 대신 외부에서 철저하게 계량된 안정적인 영양분을 공급해 주고, 내부의 장기들이 원활하게 소화 및 흡수를 할 수 있는 최적의 환경만 만들어 준다면, 상당히 흥미로운 결과들이 나온다.

이런 경우 잘 되는 사람과 안 되는 사람이 없이 남녀노소 불문하고 무조건 체중은 내려가게 돼있고, 그 결과값도 예측이 가능할 만큼 상당히 일정하게 나온다.

대부분의 다이어트가 얼마만큼을 하면 얼마가 빠진다는 결과값을 정확히 제시해주지 못하는데, 그것도 어쩔 수 없는 게 운동이든 보조제든 대상자가 갖고 있는 체형이나 환경조건들이 너무나 천차만별이기 때문에 평균적인 데이터를 만들어내기가 힘들기 때문이다.

하지만 이 방식은 신기하게도 나오는 결과값이 거의 일정하다. 80kg과 100kg은 서로 체중이 다른데 어떻게 똑같이 한 달 안에 빠지냐고 질문할 수 있는데, 똑같은 무게가 빠지는 게 아니라 총 체중에 대한 비율로 빠지기 때문에 도착하는 최종점이 거의 비슷하다. 서로가 달리는 속력이 다르다고 할 수 있는데, 가령 80kg의 대상자가 하루 평균 500g이 빠진다면 100kg은 하루에 800g씩 빠지는 식이고, 각자의 체형에서 최적의 체중인 결승선을 향해 전력질주를 하는 거라고 볼 수 있다.

이렇게 우리 몸은 내부에 있는 엔진이 원활하게 작동할 수 있게만 해주면, 자동차가 알아서 굴러가듯이 살도 자동으로 빠지도록 설계돼 있다.

이 방법을 선택한다면 체중감량과 건강, 이 두 마리 토끼를 동시에 잡는 가성비 최고의 결과를 만들어낼 수 있다.

이쯤에서 여러분 스스로에게 물어봐야 할 질문이 하나 있다.

이 방식으로 감량을 진행한다면, 여러분은 최적의 건강과 함께 음식을 초월하게 되는 체질까지 갖게 된다.

그 체질이란 하루에 한 끼만 먹거나 아예 먹지 않아도 전혀 배고픔을 느끼지 않으며, 바로 앞에 산해진미가 있어도 큰 식탐이나 충동을 느끼지 않고, 내가 먹거나 먹지 않는 걸 선택할 수 있는 수준을 말한다.

만약 본인이 이런 이해하기 힘든 외계인 같은 체질이 된다고 가정했을 때, 정말 그렇게 되길 희망하는 마음인지 아니면 음식을 자유롭게 먹지 못하게 된다는 두려움이 먼저 앞서는지 한번 되짚어볼 필요성은 있다.

후자일 경우 음식중독증이라는 집착에서 빠져나올 가망성이 그렇게 희망적이진 않기 때문이다.

전 인류 다이어트의 유일한 열쇠
'FMD'를 찾아라

2016년에 어떤 누군가가 인류의 모든 비만에 등불을 밝힐만한 발견을 해 노벨상까지 받은 사건이 있었다.

주인공은 일본의 오스미 요시노리 박사로 우리가 단식을 하게 되면, 몸의 세포가 자신의 손상된 몸을 스스로 잡아먹어 청소를 한다는 '자가포식'이라는 현상을 발견한 것이다.

쉽게 말해 몸이 병든 세포를 스스로 분해하는 자연치유작용을 함으로써 건강을 회복시킨다는 것이다.

하지만 이를 실현시킬 수 있는 유일한 방식이 아쉽게도 모두가 그토록 싫어하는 단식이라는 방식이다.

이에 맞물려 간헐적 단식이 한때 선풍적인 인기를 끌었던 적도 있었다.

이때까지만 해도 필자 역시 전 인류의 모든 비만이 종결되는 줄 알았다.

이상한 나라의 다이어트

그런데 이렇게까지 놀라운 발견이 나왔음에도 불구하고 왜 아직까지 우리 길거리에는 그다지 변화가 없는 것일까?

그건 바로 'FMD'가 없어서 그렇다.

앞서 말했던 영양수액을 대체할 수 있는 유일한 존재가 바로 FMD다.

간헐적 단식은 반드시 FMD가 있어야만 그 진가를 발휘할 수 있다.

이 두 존재는 마치 총과 총알 같은 존재라고 말할 수 있는데, 따로 있을 땐 장식용 고철에 불과하지만, 서로 합치면 엄청난 파괴력을 갖는다고 볼 수 있다.

아주 예전에 공중파에서 방영했던 '끼니의 반란'이라는 프로그램에서 간헐적 단식의 방식이나 그 효과에 대해 꽤 진지하게 다룬 적이 있었다.

그런데 재미있는 건 그 프로를 시청한 대부분의 사람들이 굶는 시간과 원리는 정확히 기억하는데, 그 뒤에 소개했던 'FMD'에 관해선 거의 기억을 못 한다는 것이다.

지금 생각해 보면 난 그때 실험적으로 방영했던 그 짧은 TV프로 하나가 이미 전 세계의 비만을 해결할 수 있는 가장 근접한 방법을 제시해 줬다고 생각한다.

FMD는 이미 알고 있는 사람도 많겠지만, 음식을 먹어도 단식을 한 것과도 같은 효과를 나타내는 '단식모방식단'을 말한다.

쉽게 말해 영양은 최대한 압축시켜 풍부하게 집어넣는 반면, 열량은 최대한 낮춰서 마음껏 섭취해도 우리 몸이 음식이 들어

온 지 알아차리지 못하게 하는 특수한 음식이라고 이해하면 되겠다.

개인적으로 캡슐 한알만 먹으면 한 달 동안 아무것도 먹지 않아도 포만감을 느낄 수 있는 공상과학에서나 나올법한 미래 다이어트 알약의 바로 전 단계가 이 FMD가 아닐까 싶다.

이제껏 '고 열량의 저 영양음식'을 먹어와서 살이 쪘으니

반대로 '저 열량의 고 영양음식'을 먹으면 다시 살이 빠진다는, 지금 생각해 봐도 정말 기가 막힌 발상의 전략적 음식이 아닐 수 없다.

살이 쪘는데 왜 영양분이 더 필요한 거냐는 질문을 종종 받게 되는데, 대부분 영양분을 너무 많이 섭취해서 살이 쪘을 거라는 잘못된 계산을 하기 때문에 그렇다.

우리는 분명 예전보다 영양소가 부족해진 음식들을 먹고 있는 데다 맛의 가짓수는 점점 많아지고 있지만, 반면 기본 음식재료의 가짓수는 점점 정제탄수화물이나 유제품, 육가공식품으로 축소되고 있기 때문에 영양의 전체 밸런스가 무너지면서 심한 불균형을 겪게 되고, 그로 인해 지방을 청소해야 하는 기관들이 영양소가 부족해져 고장이 나서 멈추게 되고, 결국 쌓인 지방 때문에 비만으로 발전하게 되고, 결국 청소하는 기관들을 다시 움직이게 하기 위해선 충분한 영양을 공급해줘야 우리 몸이 다시 정상적인 활동을 할 수 있는 거라 생각하면 이해하기 쉬울 것이다.

이상한 나라의 다이어트

다시 돌아와 FMD는 단식을 굶지 않고 섭취활동을 계속할 수 있게 해주는 획기적이고 유일한 대안이라고 볼 수 있다.

그럼에도 불구하고 이렇게 무엇보다 가장 먼저 알아야 할 엄청나게 중요한 세 글자를 왜 많은 사람들이 모르고 있는 건지 미스터리가 아닐 수 없다.

우리는 그토록 풀기 힘들어서 두 주먹을 불끈 쥐고 처절하게 부르짖었던 저 높은 곳의 다이어트란 네 글자를 내리고

이젠 FMD라는 글자로 교체해야만 할 것이다.

전 인류의 다이어트 열쇠는 FMD가 될 것이다.

하지만 인류가 여기까지 발견했는데도 아직까지 FMD로 성공한 사람 역시 많지가 않다.

그 이유는 아직까지 완벽한 FMD를 만들어 낼 기술력이 아직까지 현재로선 한참 부족하기 때문이다.

'끼니의 반란'에서 전문적인 영양사와 조리사 둘이서 서로 연구하고 합심을 해서 어렵게 FMD를 만들어냈지만, 나는 고개를 가로저을 수 밖에 없었다.

아무리 치밀하게 연구하고 제작한다고 해도 어차피 만드는 재료는 우리가 평소 먹어왔던 영양이 부족한 시중의 재료일 수밖에 없기 때문이다.

칼로리는 거의 없는 반면, 영양소는 풍부한 완벽한 음식을 만든다는 건 결코 쉬운 일이 아니다.

이런 음식들은 시중에도 거의 없고, 우리가 이제껏 쉽게 접해보지 못했기 때문에 우리에겐 상당히 낯선 음식일 수밖에 없다.

이건 식품업계도 마찬가지인데, 몇몇 업체가 FMD를 표방해 몇 가지 도시락 같은 제품들을 시도했지만, 직접 먹어보며 실험을 해본 나로선 고개를 가로 저을 수밖에 없었다.

이제부터 우리는 FMD를 찾아야 하는데, 필자가 경험했을 때 우선 FMD를 개인이 손수 직접 만든다는 것은 거의 불가능하다는 결론이기 때문에 어쩔 수 없이 현재로선 시중에 만들어진 건강보조식품들 중에 선별해서 대체제로 사용하는 게 최선이라고 볼 수 있다. 필자가 실험해 본 결과 2가지 정도가 가장 근접한 조건을 갖췄는데, 이곳에서 직접 언급할 수 없는 부분은 이해해 주리라 생각한다.

필자가 개인적으로 판별하는 FMD의 합격조건은 먹을수록 몸의 건강상태가 '유지'가 아니라 조금씩이라도 진전이 돼야 한다는 것이고, 보름 정도 섭취했을 때 탈모현상이 없어야 된다는 것이다.

한 가지 팁을 더 주자면 PDR에 많은 제품을 등재한 회사를 찾은 뒤 그 회사에서 판매하는 분말형태의 제품들을 찾아본다면 범위가 상당히 좁혀질 것이다. PDR이란 미국 내 의사, 약사들이 사용하는 의약품 처방 참고서로서 미국의학협회가 직접 참여해 출간하는 공신력 있는 책자라고 볼 수 있다.

우린 이제 문명이 발전하면 한만큼 오염될 수밖에 없는 음식들의 파도 속에서 건강을 지키고 유지하려면, 주식과 영양제의 순서를 바꿔서 이제는 보조제였던 영양제를 주식처럼 섭취하고, 반대로 끼니때마다 먹어왔던 주식을 보조제나 간식처럼 가볍게 먹어야 한다.

그래야만 옛날의 날씬하고 건강했던 어른들이 섭취하던 음식의 영양 수준과 비슷하게 맞출 수 있다.

예전의 음식들은 모든 영양소가 풍부했으니 먹는 행위 한 가지만으로 맛의 갈증과 영양섭취 두 가지를 동시에 해결할 수 있었지만, 지금은 음식에서 영양분이 없어졌으니 이렇게 따로 분리해 섭취하는 수밖에 없다.

상식적으로 생각해 봐도 아주 간단한 논리지만, 이렇게 간단한 논리를 그 어떤 곳에서도 아직 제시해주지 못하고 있다.

비만은 영양과잉이 아니라 영양부족으로 인해 생기는 질병이라는 걸 명심하기 바란다.

여러분의 남은 인생의 모든 건강과 날씬함은 좋은 약이나 유기농 채소도 아닌 오로지 FMD에 의해 결정될 것이다.

다이어트 3대 금기사항 1번 - 체중계

자 이제 기본이론은 어느 정도 충분히 공부했으니 실전에 들어가기 앞서 반드시 알고 있어야 하는 금기사항들 3가지와 환경설정 3가지에 대해 얘기해 보겠다.

이렇게 총 6가지만 준비가 된다면, 어처구니없을 만큼 사소하고 황당한 부분에서 실패를 겪는 불상사는 생기지 않을 거라 생각한다.

지금 제시하는 내용들은 여러분의 선배들이 소홀히 하고 방심하며 무심코 밟았다가 지뢰가 터져버린 내용들인데, 정말 이런 이유 때문에 중간에 무너질 수 있을까 하는 생각이 들 만큼 믿기 힘들 정도로 지극히 사소한 것들이라고 말할 수 있다.

하지만 여러분 역시 실패했던 경험의 기억을 거슬러 올라가다 보면 이 6가지가 분명히 어딘가에 존재하고 있을 것이다.

만약 여러분의 감량을 망치거나 방해하는 가장 큰 일등공신이 다름 아닌 체중계라면 놀라지 않을 수 없을 것이다.

나의 모든 프로그램엔 시간 외에 그 어떤 숫자도 넣지 말라는 철칙이 있는데, 여기에 체중계도 포함돼 있다.

실제로 감량이 되는 진짜 다이어트엔 칼로리나 체중 같은 갖가지 복잡한 지수의 숫자들은 전혀 필요하지 않고 오히려 방해가 된다.

실제로 나에겐 주기적으로 체중을 재보는 방식과 체중계를 아예 없애버린 방식으로 진행했을 때의 결과를 비교했을 때 말도 안 될 만큼 서로 대조적인 결과가 나온다는 흥미로운 통계가 있다.

아마 감량을 하려는 전 세계의 모든 대상자가 없으면 말도 안되는 필수품처럼 가지고 있는 게 바로 체중계일 것이다.

하지만 이는 실로 감량에 어마어마한 대혼란을 주며, 진행 중간에 수 없는 포기를 하게끔 만드는 주범이 된다는 걸 많은 사람들이 알지 못한다.

여러분이 다이어트를 시작하거나 그만둘 때 그 시점에 무엇을 했는지 곰곰이 한번 생각해 보자.

아마 대부분 체중계를 재본 뒤에 놀라서 다이어트를 시작했고, 끝낼 때에도 아마 체중계를 재본뒤 실망하며 끝냈을 것이다.

이렇게 체중계는 우리의 발 아래서 우리의 합격과 불합격을 채점해서 통과시키듯 무섭게 통제하고 있다.

수많은 사람들이 먹는 양을 조절하거나 운동 강도를 조절하는 등 거의 모든 행위의 기준을 체중계의 숫자에 맞춰 진행한다

해도 과언이 아닌데, 이는 중대한 실수가 아닐 수 없다.

필자는 개인적으로 이 체중계라는 존재 하나가 우리가 상상조차 하기 힘들 만큼 전 세계 대상자들의 천문학적인 돈을 여기저기 허공에 흩뿌리게 만드는 원흉이라고 생각한다.

생각보다 체중계는 많은 함정들을 가지고 있는데, 그 첫 번째는 바로 일반 체중계는 지방과 근육과 수분들이 변하는 차이를 정확히 나타내주지 못한다는 것이다. 특히 근력운동을 하는 대상자들의 경우엔 더 말할 것도 없는데, 피땀 어린 노력으로 지방이 줄어들고, 그 자리에 근육이 채워지면 근육이 훨씬 무겁기 때문에 분명히 생리학적으로는 감량이 된 상태지만, 물리학적으로 볼 때 체중은 그대로일 수밖에 없다.

전체 체중이 똑같은 쌍둥이인데 한쪽은 뚱뚱하고 한쪽은 날씬한 사진을 본 적이 있을지 모르겠다.

하지만 체중계는 그런 것과는 상관없이 오로지 중력에 의한 전체 무게만을 합산해서 단 한 줄의 숫자로만 간단히 표시해 준다.

그게 만약 인바디 체중계라 할지라도 사람들은 우선 올라가서 가장 먼저 보이는 합산된 숫자에만 집착하게 된다.

이렇게 몸은 분명히 감량이 진행되고 있는 상태인데도 체중은 그대로인 경우가 상당히 많다는 걸 많은 사람들이 알지 못한다.

어찌 보면 거대한 마술의 트릭에 속고 있는 것과 마찬가지인데, 여성들 같은 경우 감량중간에 생리를 겪을 경우 수분의 밸런스 문제 때문에 감량에 갑작스러운 정체기를 겪게 된다.

이때 체지방은 분명히 줄고 있는데도 수분 때문에 전체 체중은 그대로인 경우가 많다.

이런 메커니즘을 모르는 경우 자신은 분명 아무런 잘못을 하지 않았는데도 체중계가 자신이 예상했던 것과는 전혀 다른 엉뚱한 수치를 나타내기라도 하면, 그만 좌절을 하며 중간에 포기를 해버리는 사태를 만들게 된다.

심지어 이 모든 사실을 알고 있는 사람마저 실망하는 경우도 있는데, 어리석게도 자신의 지식보다는 숫자를 더 신뢰하고 믿는 것이다.

그렇게 되면 결국 우리는 몸의 생리나 구조와는 전혀 다른 4차원의 다이어트를 하는 거라고 볼 수밖에 없는데, 이런 어처구니없는 상황은 생각보다 우리 주위에서 흔하게 벌어지고 있다.

이 정체기의 트릭 뒤에는 또 다른 트릭이 하나 숨어있는데, 그건 바로 인간의 몸은 기계가 아니라서 결코 그렇게 시간대비 일정하게 빠질 수가 없다는 것이다.

한참 동안 감량 그래프에 변화가 없더니 어느 순간 우수수 빠지기도 하고, 반대로 초반에 미친 듯이 빠지다가 중간에 느슨해지는 경우도 있다.

그럼에도 불구하고 많은 대상자들이 체중계에 올라가기만 하면 자신이 마치 기계라도 된 것처럼 늘 어제만큼 정확히 빠져있길 바라면서 스스로 필요 없는 스트레스를 만들고 있다.

사람의 신체는 지방이 빠지다가 근육이 올라왔다 수분이 빠졌

다 늘었다 하는 복잡한 메커니즘과 우리가 알기힘든 나름의 집
안속사정이 있는데도 많은 대상자들이 매일같이 일정한 보상을
기대하거나 받으려 하고, 그에 못 미치면 금방 상처를 받고 실망
해 내일을 게을리하는 행위를 반복하곤 한다.

세 번째가 마지막 함정인데, 생각보다 많은 대상자들이 초반
에 별 가치가 없는 팔, 다리, 어깨부위에서 5kg만 감량이 됐다
하면 엄청나게 많이 빠졌다는 착각에 빠져서 그만 치팅데이같
은 보상을 주거나 중간에 잠시 쉬어간다며 대충대충 느슨하게
진행하는 큰 실수를 범하게 된다.

하지만 나의 매뉴얼엔 초반에 빠지는 5kg 감량은 아무런 의미
가 없고, 굳이 실제가치로 환산한다면 불과 1kg의 감량도 안 된
다는 내용이 있다.

누구에게든 5kg은 하늘이 주신 축복처럼 감사한 숫자라서 이
무게를 하찮게 생각하는 나를 향해 누구라도 조용히 권투글러브
를 끼고 싶겠지만, 이제껏 5kg을 빼봤던 사람들에게 물어봤을
때, 그쯤은 며칠만 조금 많이 먹으면 별거 아니란 듯이 다시 금
방 찐다는 데 이의를 제기하는 사람은 아마 없을 것이고, 그 정
도라면 그 5라는 숫자는 우리에게 언제 없어져도 이상하지 않
은 오히려 허상에 가깝다고 볼 수 있을 것이다.

반대로 복부의 1kg 감량은 무려 5kg 이상의 가치가 있다고 설
명하는데, 안타까운 건 이 공식대로라면 어떤 사람이든 복부부
터 빼고 싶겠지만, 안타깝게도 복부는 맨 마지막에 빠진다는 화

가 날 법한 공식을 갖고 있다.

결론적으로 5kg이든 10kg이든 체중계가 알려주는 숫자는 중간에 쉬어가도 된다는 전혀 필요 없는 나태함만을 안겨줄 뿐 실질적으로 필요한 복부의 감량수치는 알려주지 못한다.

그러니 결론적으로 감량 중에 재보는 체중계의 숫자는 이러나저러나 자신에게 아무런 의미도, 이득도 없다고 할 수 있다. 주위사람들이 여러분의 가슴에 붙여놓은 감량된 체중의 숫자를 보고 감탄하기보단 날씬해진 실제 몸매를 보고 감탄을 할 텐데, 우린 거울에 비치는 몸보다 그저 엉뚱하게 숫자에만 집착하고 있는 것이다.

덧붙인다면 단체프로그램을 진행하며 우연히 발견하게 된 신기한 사실이 하나 있는데, 그건 매뉴얼에서 아무런 이탈행위를 하지 않는 모범생들이 오로지 체중계의 눈금을 확인하는 행위 하나만으로도 감량의 정체를 겪게 된다는 것이다.

보통 중간에 특별한 이유가 없는데도 갑자기 감량의 정체기가 오는 대상자들은 따로 분류해 정체의 원인을 역추적하게 되는데, 신기하게도 체중계를 재보는 행위가 원인이 된 경우가 가장 많았다.

그래서 아무런 이유없이 정체가 오는 대상자들에게 '혹시 체중계 재보셨나요?'하고 묻는 게 가장 1번으로 추궁하는 질문이 돼버렸고, 그 뒤엔 항상 '어떻게 아셨어요? 하는 놀라움의 대답으로 상황이 종료되는 게 다반사다.

이게 어떤 과학적인 연관성이 작용하는지는 아직도 모르겠지만, 이런 이유로 인해 체중계 확인은 절대 금지항목으로 지정하게 됐다.

이렇게 체중계는 수많은 함정들을 갖고 있는데, 대부분 쓸데없는 기분 나쁜 감정들과 실망만을 수없이 양산해 낸다.

물론 어떤 다이어트를 시작하든 자신의 노력이 얼마만큼의 성과를 만들었는지 확인해보고 싶은 마음은 당연하지만, 매일, 매시간 체중을 재보는 행위는 이렇게 단기적으로나 장기적으로나 본인에게 결코 이로울 게 없다.

무엇보다 순수하고 열정적인 자신의 의지를 고작 몇만 원짜리 기계가 나타내주는 숫자에 의해 난도질당한다는 건 정말 어처구니없는 일이 아닐 수 없다.

체중계는 내 돈을 주고 사서 언제든 내 맘대로 볼 수 있는 물건이지만, 감량 중에는 보름에 한번 정도만 꺼내야만 제 역할을 할 수 있다는 아이러니를 갖고 있다.

체중계는 보름에 한번 정도만 진정한 성적표를 산출해 준다.

감량을 진행할 땐 반드시 체중계를 구석에 숨겨두고, 대신 허리를 줄자로 재보거나 전체적인 몸매를 오직 자신의 눈으로 측정하는 눈바디(감량한 체중을 시각적으로 측정하는 방식)를 더 신뢰하기 바란다.

자, 이제 체중계를 한번 꺼내려면 상당한 귀찮음을 감수해야 하는 깊숙한 장소에 집어넣어 놓길 바란다.

이상한 나라의 다이어트

다이어트 3대 금기사항 2번 - 비밀유지

다이어트를 시작할 때 되도록 주위의 많은 사람들에게 알려야 성공가능성이 높아진다는 말이 있는데, 도대체 누가 만든 말인지 진심으로 한번 만나보고 싶다.

그리고 그 사람이 진짜 다이어트를 하긴 했던 사람인지, 그리고 그렇게 해서 실제로 성공한 사람인지 무척이나 궁금하다.

아직까지도 어떻게 해야 할지 몰라 망설이는 사람이 있다면 이 기회에 확실히 결정을 지어주겠다.

아마 여러분의 기억을 떠올려 조합해 본다면, 답은 쉽게 나오고도 남을 것이다.

우리는 언제나 합리적 의심을 하지 않아 늘 우리 몸에게 미안한 행위를 하고 있다.

천천히 기억을 떠올려보자.

여러분이 다이어트를 하기로 굳게 다짐을 한 뒤, 그 의미심장한 의지를 주위사람 모두에게 공식선언을 했던 적이 한 번쯤은 있을 것이다.

그러고 나서 언젠가는 여러분이 바로 앞에 있는 어떤 음식을 놓고 갈등하고 있을 때, 그 안타까운 장면을 공식선언을 들었던 누군가가 목격한 적도 있을 것이다.

혹시 그때 그 사람이 정색한 얼굴로 냉정하고 단호하게 먹지 말아야 한다며 대신 눈앞에서 음식을 치워주는 상황이 혹시 단 한 번이라도 있었는지 떠올려보자.

물론 선언까지 들은 사람이라면, 누구든 단호하게 눈앞의 음식을 치워주는 게 당연한 일일 텐데, 아마 대부분의 사람들에게 저 장면은 마치 코미디의 한 장면처럼 왠지 낯설고 어색하면서 우스꽝스럽기까지 할 것이다.

단언컨대 온화한 웃음과 함께 음식을 앞으로 밀어주며 먹어도 괜찮다면서 내일부터 열심히 하면 된다는 조언까지 곁들여주며 먹는 쪽으로 오히려 부추기는 장면이 있으면 있었지 위와 같은 진지하고 숭고하며 아름다운 장면은 거의 겪어보지 못했을 것이다.

물론 그 사람도 어떤 악의적인 목적으로 그런 행위를 하는 것은 절대 아니겠지만, 내 기준에선 이런 배려의 행위는 대상자에게 생각보다 상당히 위험한 일이 아닐 수 없다. 대상자가 주위에 공표까지 할 만큼 굳건하게 다짐을 했다면, 그 사람 나름대로 심각성을 느꼈다는 것이고, 어찌 보면 그때가 그 사람의 인생에 있어 날씬함과 건강을 되찾을 수 있는 유일한 기회일 수도 있는데, 그 중요한 기회를 주위 사람들의 별생각 없는 장난 같은

이상한 나라의 다이어트

행동으로 산산조각 날 수 있는 것이다.

만약에 저 장면의 목격자가 단 한 명이 아닌 가족모임이나 직장모임이라면 상상하기도 싫다.

하지만 안타깝게도 이런 위험한 배려가 오히려 사회의 미덕이라도 된 것처럼 우리 주위에서 너무 흔하고 빈번하게 벌어지고 있는데, 더 무서운 건 이 대상자는 이번뿐만이 아니라 앞으로 자신이 공표했던 무수한 사람들과도 이 끔찍한 상황을 계속 수없이 반복해서 치러내야 한다는 것이다.

한마디로 모두에게 자신의 굳건한 결의를 표방하는 일이 결국 자신의 다이어트 가는 길 곳곳마다 위험한 대형지뢰를 심어놓는 꼴이 돼버리고 마는 것이다.

자신의 동지가 아니라 오히려 적을 만드는 셈이다.

수많은 암과 합병증을 만들어 낼 수 있는 심각하고 중차대한 질병을 스스로의 의지로 해결하려는 일이 어느샌가 우리에겐 너도 이젠 좀 이뻐지려는 시도를 하는구나 하며 서로 발로 주고받는 공놀이처럼 전락해버리고 말았다.

그래서 나의 매뉴얼에는 주위사람들에게 다이어트를 한다는 얘기를 절대 하지 말라는 특이한 조항이 있다.

만약 누군가에게 공개를 한다면, 그건 마치 복권에 당첨된 사람이 자신의 당첨사실을 여기저기 떠벌리는 것과 똑같다고 보면 된다.

만약 음식을 먹지 않고 주저하는 당신을 누군가에게 이해시켜야 하는 상황에 놓인다면, 이런 경우 다이어트를 한다는 얘긴 절대 하지 말고 '장에 문제가 좀 생겨서 치료하는 중'이라는 말로 대신하길 권장한다.

이렇게 얘기할 경우에 상대방은 무리하게 음식을 권하지 않고, 오히려 눈치를 보며 우리 앞의 음식을 서둘러 치워주기까지 한다.

이렇게 말 한마디에 신기하리만치 모든 상황이 거짓말처럼 뒤바뀌게 된다.

이는 거짓을 얘기하는 게 아니라 실제로 그 문제를 해결하는 과정이니 굳이 죄책감을 느낄 필요도 없다.

어차피 누군가에게 다이어트를 한다고 얘기하는 것도 이젠 민망한 일이 아닐 수 없고, 말을 해봐야 상대방도 관심 있게, 또는 진지하게 받아들이는 경우가 많지 않아서 전혀 득이 될 게 없기에 이렇게 대처하는 편이 서로에게도 훨씬 이득이고 바람직하다.

이런 게 무슨 문제가 될 수 있겠냐고 콧방귀를 뀌는 사람도 있겠지만, 아마 과거에 다이어트를 포기했던 시점을 곰곰이 회상해 본다면, 내일부터 해도 된다며 자신에게 음식을 건네줬던 누군가의 온화한 미소가 어딘가에서 발견될 수도 있을 것이다.

여기에서 무너지는 경우를 숱하게 봐온 나로서는 결코 간과할 수 있는 문제가 절대 아니고, 이만큼 우리의 다이어트는 현재 얇디얇은 살얼음판이 되어있는 상황이다.

다이어트는 주위사람들이 모르는 걸 넘어서서 자기 자신마저도 모르게 해야 최고의 결과가 나올 수 있다.

실제로 자신이 다이어트를 한다고 생각하지 않고, 정말 아무런 생각 없이 무념무상으로 진행했던 사람들이 최고의 결과들을 만들어 냈다.

다이어트 3대 금기사항 3번
- 절대 금지어

    다음은 내가 아예 처음부터 의뢰를 받지 않거나 중간에 진행을 멈추기까지 했던 대상자들에 대한 얘기다. 어느 누가 봐도 빼기 힘들어 보이는 고도비만자라도 난 대상자의 의지만 있다면 상관없이 진행했지만, 만약 누군가 상담 중에 이 한마디를 할 경우 '아 네 그러시군요' 하고 친절한 미소로 응대해 주곤 망설임 없이 서둘러 상담일지를 덮었었다. 이런 경우 어차피 실패할 확률이 어느 정도라는 걸 이미 알고 있고, 그것보다 내가 감당해야 할 스트레스가 어마어마하다는 게 예상되기 때문이다.

    감량프로그램은 보통 처음 상담부터가 험난한 가시밭길이다. 이유는 대상자들이 이제까지 실행해 왔던 지난 과거의 낡은 다이어트와도 싸워야 하기 때문이다.

    15살 여중생부터 60이 넘은 어르신까지 정말 각계각층의 다양한 직업과 성격들을 만난 것 같은데, 가장 힘든 것 중의 하나가 각자가 가지고 있는 직업군이 다양한 만큼 처한 상황이나 조건들이 모두 제각각이어서 그 조건에 일일이 맞춰서 스케줄표를 짜야한다는 것이었다.

물론 하루종일 시간이 자유분방한 프리랜서 직업이 제일 베스트지만, 가령 낮이 아닌 밤에 일을 한다던지 3교대로 일을 한다던지 아니면 출장이 많다던지 하는 여러 가지 악조건을 가지고 있는 경우도 많았다.

그래도 어떻게든 꾸역꾸역 스케줄표를 짜 맞춰서 보여주면 대상자들은 스케줄표 아래의 구체적인 행동 매뉴얼들을 확인하곤 그때부턴 자신만의 '건강법칙'을 불쑥불쑥 꺼내기 시작한다.

세상 누구도 절대 건드려선 안 되는 각자 자신만의 건강법칙을 갖고 있는 경우가 많은데, 쉽게 말해 내 몸은 내가 안다는 식의 신념이다.

너무나 오랜 시간에 걸쳐 자신만이 쌓아온 그 철옹성 같은 '건강법칙'을 깨기란 아직까지도 결코 쉽지 않은 고난의 여정이다. 집안내력부터 근세포, 체세포를 비롯해 심지어 내가 이제껏 듣지도 보지도 못했던 별의별 온갖 희한한 기하학적 공식들을 내 앞에 가지런히 늘어놓곤 한다.

하지만 무시하지 않고 최대한 귀담아들은 뒤, 우회할 수 있는 길이나 차선책을 찾아주면서 자연스럽게 진입할 수 있도록 맞춰주려고 노력한다.

하지만 그렇게 끝까지 노력을 하다가도 결국 나를 포기하게 만드는 단 한마디가 있다.

그건 바로 나랑은 안 맞는 것 같다는 소리다.

저 말은 아마 여러분들 중에도 별생각 없이 해본 경험이 있을 것이다.

누구나 별생각 없이 할 수 있는 말이지만, 이 말엔 생각보다 많은 걸 내포하고 있어 필자가 이 말을 들었을 때는 이미 마음속으로 절반은 포기를 한다.

보통 이런 말을 하는 경우, 자신의 방식에 대해 상당한 애착을 갖고 있어서 좀처럼 이끌어 나가기가 쉽지 않다.

자신이 이제껏 당연하다고 생각하며 지켜왔던 다이어트 방식들이 잘못됐음을 인정하고 싶지 않은 건 어찌 보면 당연한 것이고 얼마든지 이해할 순 있지만, 문제는 정작 깨닫게 되더라도 쉽게 버리지는 못한다는 것이다.

그래서 이 짧은 말로 자신의 영역만큼은 넘어오지 말라고 짝꿍에게 책상 위의 경계를 만드는 것처럼 굵직한 선을 그어버린다.

어떤 직장에 다니는 여성은 자신은 먹는 걸로 스트레스를 받으면 더 안 빠지는 체질이라서 자신과는 안 맞는 거 같다고 스스로 진단하더니 아직 3년이 넘도록 계속 그 비만을 유지하고 있고, 어떤 자영업자는 자기는 먹을 건 먹으면서 운동을 많이 해야 빠지는 체질이라고 진단하며 자신과는 안 맞는 거 같다더니 지금은 오히려 더 불어난 몸이 돼있다.

이뿐만이 아니라 나는 고기를 끊으면 안 되는 몸이라던지 나는 빵을 끊으면 무슨 문제가 생긴다던지 나는 커피를 끊으면 정

이상한 나라의 다이어트

체기가 온다던지 하는 갖가지 기괴한 이유를 대며 스스로 진단을 내리는 위험한 행위를 별 스스럼없이 하고 있는데, 이런 경우 결과가 어떻게 나온다는 걸 알기에 내가 먼저 포기를 하는 경우가 많다.

어떤 방식이라도 최소 한 달은 꾸준히 진행해 봐야 그 방식의 진정한 효과를 알 수 있는데, 우리는 시작도 해보지 않은 채 미리 자신의 몸에 위험한 진단을 내리며 선택적인 다이어트를 하고 있다.

상식적으로 생각해 봐도 진짜 올바른 다이어트는 결코 현재의 자신과 어떤 것도 맞는 게 있을 수 없다.

이제껏 먹어왔던 메뉴나 습관들 어디에 반드시 문제점이 있어서 증량이 됐기 때문에 명확한 원인을 못 찾아냈다면, 다시 모든 걸 뒤집어야 하는 게 당연한데도 대부분 그렇게 뒤집는 건 싫어하고, 피자에 토핑을 선택하듯 가질 건 가져가고, 뺄 건 빼서 자신에게 편한 대로 짜 맞춰 설계를 하려는 우를 범한다.

필자가 수많은 비만을 감량하면서 느낀 건 사람들 몸의 생리 구조나 움직이는 메커니즘은 모두의 피의 색이 빨간 것처럼 대부분 비슷비슷하다는 것이다.

15세의 여중생이나 60이 넘은 어르신이나 통일된 한 가지 방법으로 감량했을 때, 몸은 거의 비슷한 원리로 작동하고 비슷한 결과를 보여준다는 것이다.

반면, 그에 비해 각자 자신이 걸어왔던 다이어트의 방식이나 결과들은 정말 수천수만 가지다.

그러니 결론적으로 우리가 같은 지구인이라면, 각자 과거에 진행해 왔던 방식들은 결국 자신에게 올바른 방식이 될 수가 없을 것이다.

어떠한 방식이라도 일단 진행하기로 결정했다면, 자신과 조금 안 맞는 부분이 있다 하더라도 절대로 개인적인 생각에 의한 위험한 진단을 내리거나 자신에게 맞는 편한 방식대로 편집하려 하지 말고, 그저 묵묵하고 진득하게 실행해 나가는 성실과 끈기가 절대적으로 필요할 것이다.

이상한 나라의 다이어트

실전 준비 1 - 심각성의 부재

금기사항 3가지에 대해 알아봤다면, 이젠 생각 속에 반드시 장착해야 될 3가지에 설정에 대해 설명한 뒤 실전으로 들어가겠다. 금기사항보다는 훨씬 중요한 내용이니 반드시 숙지하기 바란다.

그 첫 번째는 자신이 왜 감량을 해야 하는지 확실한 이유와 그 이유의 크기를 찾는 것이다.

그 측정값이 바로 향후 본인이 빠질 수 있는 절대 감량 값이기 때문이다.

생각보다 많은 대상자들이 이 이유가 불분명하고, 명확하지 않기 때문에 중간에 쉽게 포기를 하게 된다.

대부분 왜 살을 빼려는 거냐고 그 목적을 물어보면, 선뜻 대답하지 못하고, 그것도 질문이냐는듯한 표정을 지으며 당연히 이 빠지고 싶다거나 뚱뚱한 게 민망하다거나 움직이기 좀 불편하다는 어정쩡한 이유를 내놓는데, 이렇게 목적의 대상이 막연한 불

특정 다수일 경우, 실패할 확률이 상당히 높고, 이건 지금 책을 읽는 여러분 중에도 비슷한 입장이 많을 것이다.

정작 누구에게 예뻐 보이고 싶은 건지 그 대상자가 아직 명확하게 정해진 게 없이 아직 얼굴도 모르는 사람이기 때문에 도중에 실패를 해도 그만인 것이다.

반대로 내가 매력적으로 보이고 싶은 사람이 실체가 있는 단한 명의 이성이거나 나의 뚱뚱한 모습이 노출되면 너무 민망함을 느낄만한 어떤 모임에 가입해서 활동 중이거나 아니면 어떤 모멸감을 느낄만한 상황이나 조롱 섞인 말 한마디에 상당한 충격을 입었던 경험을 가진 대상자들의 성공확률은 비교가 안될만큼 상당히 높은 편이다.

정리하자면, 목적의 대상의 범위가 극도로 좁혀지면 그만큼 성공확률은 비례해 높아지고, 대상의 범위가 명확하지 않고 광범위할수록 성공확률은 극히 떨어진다.

하지만 우린 한 명 만을 애타게 바라보는 드라마 같은 상황을 일부러 만들 수는 없고, 그렇다고 막연하고 광범위한 이유들을 가지고 있자니 실패확률이 떨어지기 때문에 그 중간정도인 진짜 내가 왜 해야 하는 건지 그 최소한의 이유라도 반드시 찾아놔야 한다. 그래야 우리가 진행 중간에 잠시 방향을 잃거나 힘들어 잠시 주저앉더라도 그 이유가 지팡이와 나침반이 되어 쓰러진 다리를 일으켜주거나 올바른 방향으로 걷게 해 줄 수 있기 때문이다.

단적으로 우리는 생계라는 분명한 이유가 있기 때문에 매주

이상한 나라의 다이어트

월요일 아침에 죽을만큼 나가기 싫은 천근만근인 몸을 일으켜 세울 수 있는것이다.

그 이유를 필자가 대신 찾아줄 텐데 이 내용 역시 조금 불편할 수도 있음을 감안하기 바란다.

현재 우리의 다이어트 판은 그야말로 아비규환의 현장이다.

옆집아줌마는 개인 PT를 신청하고, 앞집아저씨는 한약을 결제하고, 윗집 아가씨는 지방흡입을 예약하고, 아랫집 고등학생은 단식원에 들어간다.

이게 빠지네, 저건 안 빠지네, 큰 소리로 언쟁을 벌이며 싸우다가 나쁜 정보를 비난하거나 좋은 정보를 향해 박수를 치기도 하고, 단 몇 킬로에 울거나 웃기도 하며, 절망에 빠져 한숨을 쉬다가도 다시 굳은 결심을 하는 등 인간으로 태어나 느낄 수 있는 모든 감정을 이 다이어트 하나를 통해 다양하게 체험하고 있다.

하지만 늘 그래왔듯 심각함을 느꼈던 처음 한 두 달만 열심히 할 뿐 꾸준히 진행하는 사람은 찾아보기 힘들고, 매년 또다시 각자 자신에게 알맞은 다른 종목을 찾고 있는데, 이렇게 계속 갈아타기만 하는 형편없는 의지를 보일 만큼 다이어트는 우리에게 그다지 심각하지 않다.

심각하게 걱정하는 사람만 있을 뿐 진짜 심각한 사람은 없다.

심각하지 않기 때문에 고작 내일부터 하면 된다는 옆사람의 웃음 섞인 조언을 듣고 참아왔던 손을 움직여 치킨의 한쪽다리를 집어 들기 일쑤다.

하지만 이건 의지가 약한 게 아니라 진짜 심각함이 무엇인지 인지하지 못하고 있는 것뿐이다.

자신의 비대해진 몸이 자신의 인생에 얼마나 큰 손해와 피해를 줄 수 있는지 대부분 알지 못한다.

그 피해가 당장은 눈에 보이지 않기 때문이다.

뚱뚱한 사람은 주위에서 자신에게 이성을 소개해주지 않는 이유를 알 수가 없다.

그리고 친구나 지인이 술자리나 모임에 자신을 부르지 않은 이유 역시 알 수가 없다.

그리고 자신보다 못한 실적을 가진 동료가 먼저 승진하는 이유를 알 길이 없다.

절대 알아차리지 못하게 그런 기회들은 소리소문 없이 지나가 버린다.

지나친 억측과 비약이라고 생각하는 사람도 있겠지만, 위의 세 가지 경우 모두 나의 대상자들에게서 직접 실제로 일어났고 나 역시 목격했던 일들이다. 이 외에도 저런 억울한 상황들은 무궁무진하다.

만약 어떤 대상자가 이 내용이 크게 와닿지 않는다고 하면 그 사람에게 반대로 그의 친구나 직장 동료, 혹은 상사의 입장이 되어 선택해 보라고 하면 된다.

뚱뚱한 친구가 여러분에게 소개팅이나 이성 좀 소개해달라고 했던 난감한 경험이 있다면 쉽게 공감할 수 있을 것이다.

성공을 갈망하는 사람이라면, 직접 검색창에 성공한 CEO를 입력한 뒤 나오는 인물들의 사진을 천천히 훑어보라고 하면 된다. 그러면 무언가 공통점을 발견하게 될 것이다.

비만은 매력적인 이성에게 외면을 받거나 훌륭한 기회와 인맥들을 놓치게 할 수 있는 가장 큰 악재이지만, 이걸 심각하게 인지하고 있는 사람은 많지가 않다.

이렇게 보이지 않는 피해를 입는 이유는 단지 그 사람에게 뚱뚱해서라고 직접적으로 말하기보다 다른 쪽으로 에둘러 말해서 상대를 배려하는게 우리 사회의 미덕이기 때문이다.

만약 친구가 넌 뚱뚱해서 이성을 소개해주기 좀 불편하다고 대놓고 얘기한다거나 직장동료가 그 사람에게 비만한 몸 때문에 모임에 부르기 꺼려진다고 직접 말한다거나, 혹은 그의 상사가 비대한 몸 때문에 바이어 미팅에 데리고 나가기

좀 불편하다고 얘기한다면, 몇명은 충격을 먹고 아무런 장비나 보조기구 없이 단지 러닝 하나만으로도 단시간에 드라마틱한 감량을 이룰 것이다.

이렇듯 다이어트의 시작과 출발은 자신이 왜 감량을 해야 하는지 그 동기와 이유가 회초리의 선처럼 명확해야 한다.

그게 매력적인 사랑이든, 회사의 승진이든, 사업의 성공이든, 앞에서 예시로 들었던 '월요일의 직장'처럼 명확한 이유가 있어야 흔들릴 때 바로잡아 다시 걷게 해 줄 수 있다.

대부분 이런 이유가 없기 때문에 안되면 어쩔 수 없는 거라며 중간에 쉽게 포기를 해버리곤 한다.

대신 손해라도 없으면 다행인데, 대부분 시간은 시간대로 버

리고 비용은 비용대로 날리게 된다.

당장은 간절하고 절실한 이유가 없다면, 최소한 방금 말했던 이 소리 없는 피해를 입지 않기 위해서라는 이유라도 설정해 두기 바란다.

눈에 보이지 않는 이 피해가 모든 대상자에게 100%의 확률로 일어난다고 할 순 없겠지만, 본인에게 일어날 가망성이 단 1%도 없다고 자신 있게 말할 수 있는 사람은 아마 없을 것이며, 언제든 미사일이 날아올 수 있는 그 위험한 확률의 동그라미 안에 굳이 우리를 세워놓을 필요는 없을 것이다.

이 소리 없는 피해는 내부적으로는 우리의 건강에게, 외부적으로는 우리 인생에게 생각보다 끔찍하며 위험한 암 적인 영향을 초래한다.

'그냥 좀 움직이기 불편하니까',

'그냥 좀 이뻐지려고'

'그냥 좀 창피해서'라는 정도의 가벼운 이유라면,

아예 다이어트를 시작하지 않기를 권장한다.

그리고 내 친구나 지인들은 모두 착해서 절대 나에겐 저렇게 모질게 대하지 않을 거란 말도 안 되는 착각도 하지 않길 바란다.

비만은 그 어떤 곳에서도 결코 환영받지 못하고, 내 주위사람들에게 민망한 불편함을 줄수도 있는 존재라는 건 나와 여러분의 선배들에 의해 이미 충분히 확인된 사실이다.

많은 대상자들이 단체로 함께 모여 각자의 경험담을 공유할

이상한 나라의 다이어트

기회가 많지 않은 일반대상자들은 어느 누군가가 자신을 배려해 준 거라고 생각했던 고마웠던 행동이나 말들이 결국은 저변에 깔린 멸시나 조롱이었다는 걸 알아차리기 힘들다.

수술대위의 메스처럼 우리에게 무섭고 진지해야 할 다이어트가 언제부턴가 효과도 없는 상품들이 쏟아지면서 실망만을 안겨주는 바람에 이젠 언제 버려도 상관없는 흔해빠진 액세서리로 전락해 버린 건 어쩔 수 없지만, 나의 통계상 이런 액세서리 같은 이유로 시작해서 성공한 사람은 단 한 명도 없었으며, 그럴 시간과 비용을 감안한다면 차라리 다른 곳에 투자하는 편이 훨씬 이익일 것이다.

단언컨대 장난 같은 이유는 반드시 장난 같은 결과를 낳게 된다. 이렇듯 다이어트의 시작은 보이지 않는 무서운 심각성을 인지하고 깨닫는 것부터 시작해야 한다.

우리는 늘 환자복을 입고 병원과 치킨집
중간 어디쯤에 서있다

두 번째는 바로 가상의 병실을 만드는 작업이다.

우리는 일을 하려면 사무실이라는 공간에서 일을 하고, 회식을 하려면 식당이라는 공간에 갈 것이며, 잠을 자려면 방이라는 공간에 자신을 가두게 된다.

만약 사무실 책상 위에 일자로 누워 잠을 잔다거나 자신의 좁은 방에서 열 명이 넘는 직원들과 회식을 한다거나 시끄러운 식당테이블에서 노트북을 펴놓고 업무를 본다면, 말도 안 되는 결과물들이 나올 것이다. 이렇게 우리에겐 해야 할 일들과 그에 걸맞은 공간이 정해져 있다.

그런데 우리가 다이어트를 할 때 이제껏 어떤 공간에서 진행해 왔는지 한번 살펴보자. 아마 대부분 말도 안 되는 후자의 예시처럼 딱히 정해진 공간 없이 사무실이든, 식당이든, 공부방이든, 중구난방 되는대로 넘나들며 진행했을 것이다.

이상한 나라의 다이어트

그러기에 다이어트도 반드시 그에 맞는 공간과 환경을 구축해 놓은 뒤 시작해야 한다.

이제 막 감량을 시작하려는 사람과 상담할 때
'난 이건 이래서 못해요', '저건 저래서 힘들 거 같아요' 하며
자신의 온갖 처지와 상황들을 앞에 늘어놓으며 방어부터 하는 사람들이 있다.

심지어 뜨거운 커피를 옆에 두고도 온수는 못 마신다는 사람도 있었다.

이런 사람을 만날 때마다 내가 종종 묻는 질문이 하나 있다.

만약 누군가가 당신에게 무료로 성형할 수 있는 무료성형권을 주는데, 하나는 얼굴전체성형권이고 또 하나는 몸 전체를 바꿀 수 있는 전신 성형권이라고 한다면, 둘 중에 어떤 걸 선택할 거냐고 물었을 때, 대부분 조금 망설이다가 결국 전신 성형을 선택한다. 아무래도 얼굴보단 몸이 급하기 때문이다.

그럼 난 다시 만약 누군가가 얼굴성형을 선택해서 수술을 받았는데, 그 사람이 실밥을 푸는데 까지 얼마나 입원해 있어야 되는지 아냐고 물어보면, 상대는 곰곰이 생각해 보다가 한 두 달 정도 아니냐며 무심한 듯 가볍게 대답한다.

그럼 난 다시 그 환자는 그동안 만큼은 밖에도 못 돌아다니고, 사람도 못 만나고, 밤에 고통 때문에 잠도 잘 못 자고, 입도 안 벌려져서 음식을 빨대로 먹어야 된다는 것도 아냐고 물어보면 아마 당연히 그러지 않겠냐며 별 대수롭지 않게 대답한다.

이때쯤 내가 '지금 우리는 그것보다 훨씬 더 어렵다는 전신성형을 할 거라는 건 알고 계시죠?' 하고 물으면 잠시 몇 초간의 정적이 흐를 때가 있다.

대상자의 머리가 약간 복잡해진 것이다.

자신은 지금 더 큰 전신성형을 앞에 두고도 정작 희생해야 하는 고통은 그렇게 힘들다고 본인 입으로 말한 얼굴성형의 십 분의 일도 감수하려 하지 않는다는 걸 깨달은 것이다.

누구든 얼굴 성형을 한다면 밖에도 못 나가고, 사람도 못 만나는 갑갑함을 당연하게 참아가며, 약도 정시에 꼬박꼬박 챙겨 먹을 거면서 정작 더 어려운 전신성형인 다이어트를 할 때만큼은 이상하게도 먹고 싶은 건 다 먹어야 되고, 친구를 만나서 술도 한잔 해야 되고, 각종 모임에도 다 참석해야 한다.

여기까지 얘기하고 다시 처음으로 돌아가면 처음과는 달리 할 수 있다고 대답하는 것들이 꽤 많아진다.

이런 아이러니한 현상이 어쩔 수 없는 게 우리의 다이어트가 그만큼 성공에 대한 확신이 낮아져 있어서 그렇다.

얼굴성형은 입원을 해서 치료를 받고, 전문가의 관리를 받는 시스템 안에서 자신이 희생해야 할 것들과 그것들을 완수했을 때 결과치가 어느 정도 나온다는 게 정해져 있지만, 전신성형인 다이어트는 입원이란 개념이 없이 오로지 혼자만의 자제력으로만 진행해야 하는 만큼 결과값이 분명하지가 않기때문에 뭔가를 희생하기가 망설여지게 된다.

만약 큰맘 먹고 얼굴성형을 감행했는데, 의사의 경고를 무시하고 회복기간 중에 용감하게 술을 마시거나 얼굴에 실밥 있는 상태로 세수를 한다거나 벌어지지 않는 입으로 금지된 치킨을 뜯을 수 있는 사람은 많지 않을 것이다.

그렇게 시스템에 대한 신뢰가 있기에 불편한 것들을 기꺼이 감수해가며 매뉴얼 안에서 스스로 규칙을 준수해 나갈 수 있고, 그에 상응하는 이상적인 결과들이 많이 나옴과 동시에

다음 사람 역시 믿고 진입할 수 있는 신뢰가 만들어진다.

그럼 이제부터 여러분의 다이어트에도 그와 똑같은 환경과 시스템을 만들어 주어야 한다.

만약 옆에 아무런 관리자가 없이 다이어트를 혼자 단독으로 진행한다면, 상당히 힘든 확률에 도전하는 것이라는 걸 충분히 인지하고, 보이지 않는 가상의 병실을 만들어 늘 항상 자신을 그 안에 가두어놓아야 된다.

이런 병실이 없기 때문에 대부분의 대상자들이 초반에만 열심히 하다가 갑자기 편의점이나 치킨집을 드나드는 위험한 행동을 하게 된다.

다이어트란 원래 입원을 해야 할 만큼 충분히 심각한 질병이지만, 우린 아직 병실이 없어서 환자복을 입은 채로 호프집에서 치킨을 뜯고 있는 나이롱환자처럼 행동하는 거라고 볼 수 있다.

우린 더 이상 자신의 의지를 과대평가하는 실수를 범해선 안 된다. 우리의 의지는 일반 사람에 비해 생각보다 많이 약해져 있다.

그래서 나약한 의지를 보호할 수 있도록 최소한의 기본적인

방어선을 구축해놔야만 한다.

이게 바로 다이어트의 '환경설정'이다.

절망적으로 들릴 수 있겠지만, 먹을 거 다 먹으면서 할 수 있는 다이어트란 아직 세상에 존재하지도 않고, 있다 해도 건강에 결코 좋지 않다는 걸 실제로 내 몸에 수십 번을 실험하면서 깨달았다.

70%가 넘는 사람이 앓고 있으니 여러분 역시 해당될 가능성이 크겠지만, 단지 우린 잠시 '음식중독증'에 걸려있는 것뿐이고, 이점을 반드시 인지하고 인정해야만 한다. 음식 중독증은 얼마든지 간단한 검색만으로 자가진단을 해볼 수 있다. 그걸 인정하기 전까지 우리는 먹으면서 뺄 수 있다는 그 헛된 기대와 달콤한 환상에서 결코 벗어날 수 없다.

그러니 우린 언제나 가상의 환자복을 입고 있는 환자라는 인식을 반드시 갖고 있어야 한다. 길을 걸을 때나 업무를 볼 때나 집에서 가족들과 대화를 할 때도 늘 항상 자신은 가상의 정육면체 병실 안에 있다고 생각해야 한다.

그래야만 자신의 모든 행동이 절제되면서 컨트롤이 가능해진다. 그리고 그 안에서 자신에게 정확한 시간에 맞춰 철저하게 모든 매뉴얼을 지켜나가야 한다.

여러분의 가장 가까운 주치의는 핸드폰 알람이 돼줄 것이다.

사소한 부분부터 모든 움직임의 동선까지 모두 알람으로 맞춰놓기를 권장한다.

주위 환경의 무서움

나는 언제든 대상자들의 모든 다이어트를 실패하게 만드는 가장 큰 원인이 뭐냐고 물어보면 1초의 망설임 없이 '주위환경'이라고 할 수 있다.

여기서 말하는 실패란 감량기간이든 유지기간이든 상관없이 모두에게 적용된다.

여기서 주위환경이란 가족, 친구, 직장, 및 지인 등을 말한다.

이건 실제 나의 통계에도 나와있는데, 실패한 사람들 중 열에 아홉은 다 저기서 무너졌고, 나에게 가장 많은 스트레스와 절망을 안겨주어서 대상자들을 감량시키던 일을 거의 포기하게끔 만들었던 주요 원인이라고 말할 수 있다.

병실처럼 철저히 외부와 격리된 공간만 주어진다면, 난 스모 선수도 얼마든지 날씬하게 만들 자신이 있다고 할 수 있을 정도로 주위환경은 모든 대상자들에게 가장 큰 적이다.

첫 번째로 무서운 주위환경은 음식을 가볍게 권하는 사람들이다.

필자가 트레이닝을 통해 비로소 음식을 자유자재로 조절할 수 있는 레벨에 올라가자마자 가장 먼저 놀라게됐던 점이 황당하게도 평소 나에게 권하는 음식들이었다.

하루 종일 주위사람들이 나에게 권하는 음식이나 음료의 횟수가 어마어마했던 것이다. '밥 먹었어?' '이것 좀 먹어봐' '한잔 타줄까?' 등등 많을 때는 무려 스무 번이 넘었던 것 같고, 심지어 먹겠다는 대답을 안 했는데도 내 앞에 이미 벌써 떡이나 케이크, 과일과 커피가 놓여있던 적도 종종 있었다.

예전에는 아무렇지 않게 받아먹었던, 오히려 고마움을 느꼈던 이런 미덕이 하루에 1끼를 먹을까 말까 하는 패턴이 돼버리니까 오히려 점점 스트레스를 받는 고통이 되어버렸다.

지나와보니 나는 이 무서운 배려의 그물 속에서 이제껏 그 말도 안 되는 많은 음식들을 아무 생각 없이 다 받아먹고 있었던 것이다.

지금은 방금 밥 먹은 지 얼마 안 됐다는 거짓말로 가볍게 상황을 모면하고 있지만, 아직까지도 상당한 고역이 아닐 수 없다.

하지만 방금 언급한 이런 상황들은 대상자들에겐 비교적 가볍고 쉬운 레벨에 속하는건지 대부분 매뉴얼대로 잘 대처하는 편이다.

두 번째로 무서운 주위환경은 직장하고 동호회, 친구들과의

이상한 나라의 다이어트

만남이다. 직장에서 가장 무서운 건 워크숍 하고 회식인데, 생업의 일부이기 때문에 뭐라고 하기도 참 애매해서 날짜를 받아올 때마다 입장이 난처하지 않을 수 없다. 그래서 직장인 같은 경우, 이 부분을 미리 체크해 두는 일이 매뉴얼에 있다.

동호회 모임 같은 경우 대상자에게는 이미 상당한 중독성을 가지고 있는 데다 나오라고 유혹하는 인원의 수가 보통 수십 명이 되는 단체규모라서 이걸 혼자 스스로 방어하고 통제한다는 건 몸 안에 사리를 만들어낼 만한 정도의 득도를 해야 가능한 일이다.

이 두 가지만으로도 힘든데 친구들까지 자주 만나야 하는 공사가 다망하신 삼박자의 대상자들 같은 경우, 최단기록인 딱 3일 만에 연락이 두절되는 경우도 있었다.

이런 대상자들 같은 경우 다리가 하나 부러져서 어딜 돌아다니기 힘든 불상사가 발생하지 않는 한, 감량은 거의 불가능하다고 판단하고 있다.

세 번째 문제 역시 매우 위험한 주위환경인데, 그건 예정에 없던 모임이나 돌잔치, 결혼식, 혹은 갑작스러운 부고 등 전혀 예측하기 힘든 돌발적인 행사들이다.

이런 경우엔 대상자들이 어쩔 수 없지 않냐는 애처로운 표정으로 꼭 나를 바라본다.

나는 그럼 참석하되 술이나 음식만 먹지 않으면 된다고 하면, 어떻게 그럴 수 있냐고 나에게 반문을 하게 되고, 그러면 난 다시 왜 안 먹고는 참석 못하는 거냐고 되물으면, 대부분 머뭇머뭇거리다가 '그 사람들이 나를 걱정할까 봐'라는 다소 어처구니없는 대답을 듣게 된다.

놀랍게도 실제 절반 이상이 하는 변명이다.

그래서 나는 모르겠으니 그냥 알아서 하라고 보내기만 하면 신기하게도 상당수가 그 뒤로 연락이 두절 돼버린다.

이처럼 무엇보다도 인생에 있어 가장 중요한 1번이 돼야 하는 자신의 날씬한 건강이 밀리고 밀려나 이젠 어느새 별생각 없이 권하는 커피 한잔이나 돌잔치의 떡 한 개도 차단하지 못하는 볼품없는 의지가 돼버렸다.

아무래도 다이어트의 목적이 우리의 건강이 아니라 어차피 해도 그만, 안 해도 그만인 화장처럼 미용이라는 인식으로 점점 자리를 잡아가서 그러는 게 아닌가 싶다.

이 책에선 이런 것들을 긴 시간 영원히 끊으라는 것도 아니고, 몇 번을 자주 끊으라는 것 아니고, 5000개월이라는 인생의 긴 시간 중에 고작 1개월만 떨어져 있으면 된다고 얘기한다.

5000개월 중의 1개월이라는 그 잠시간도 못 끊는 의지라면, 우리는 다이어트가 아니라 그 어떤 작은 일이라도 완수하지 못할 것이다.

그래서 우리는 반드시 가상의 튼튼한 병실을 만들어서 그 안에 우리를 가두어 방어를 해야만 한다.

이상한 나라의 다이어트

그렇게 내, 외부의 환경을 모두 완벽하게 통제할 수만 있다면, 여러분의 인생에 있어 다이어트는 이미 70%가 해결됐다고 자신 있게 말할 수 있다. 주위 환경을 통제할 수 없다면, 절대 여러분의 살도 통제되지 않는다는 걸 명심하자.

갑작스러운 전화가 오거나 누가 나가자고 할 때 어떻게 대처를 할지 미리 시뮬레이션해서 대답을 미리 준비해 두는 것도 상당한 도움이 될 것이다. 아무런 준비가 없다면 반드시 그 순간 망설이게 된다.

정리하자면 첫째로 자신이 다이어트를 해야 하는 확실한 이유를 먼저 찾은 뒤 둘째, 가상의 병실을 만들어서 자신을 확실히 24시간을 가두고 셋째, 만약 누군가가 불쑥 문열 것에 대비해 출입문을 튼튼하게 잠궈놓는 것이다.

뭐가 이렇게 복잡하냐고 불평할 수 있겠지만, 지금까지 설명한 것들은 모두 필수적이고 준비를 해놓은 사람과 안 해놓은 사람의 결과의 차이는 나의 실제 통계가 정확히 말해주고 있으며, 다이어트는 그렇게 호락호락하지 않다는 건 여러분의 아랫배가 증명해 줄 것이다.

다이어트 2인자 - 온수의 저력

다소 지루한 얘기들을 듣느라 정말 고생 많았다.

여기까지의 설명들이 많이 지루했겠지만, 난 어느 쪽이 더 중요하다고 백번 강조하고 있는지 알 것이라 생각한다.

자 이제부턴 실전이다.

실전에서 전반적으로 여러분의 살을 빼 줄 다이어트계의 2인자를 소개하겠다.

그건 다름 아닌 '온수'다.

여기에서 온수란 다른 어떠한 성분도 들어가 있지 않은 순수한 물로써 온도는 일반 차처럼 불어서 마셔야 하는 정도라고 정의하겠다.

다이어트에서 가장 중요한 요소 중에 하나가 바로 '온수'다.

온수는 자신의 목표체중에 도달할 때까지 쉬지 않고 꾸준히 마셔야 한다.

이상한 나라의 다이어트

힘들 것도 하나 없이 평소 마셔왔던 찬물을 평소에 마셔왔던 차만큼의 뜨거운 온수로만 바꾸면 되는 것이다.

그깟 뜨거운 물이 뭐 대수냐며 투덜대는 사람도 있겠지만, 만약 검색창에 '온수의 효능'이라고 입력하고 엔터를 누르는 순간, 본인이 전혀 몰랐던 이상한 나라의 신기한 정보들이 주르륵 펼쳐짐에 조금은 놀랄 수 있을 것이다.

그리고 만약 실제로 온수섭취를 진행하게 된다면, 갖가지 몸에 나타나는 변화들에 한번 더 놀랄 것이다.

우리 내부의 장기는 결코 무덥거나 추운 계절이 따로 존재하지도 않고, 특히 차가운 냉수를 결코 좋아하지 않는다는 걸 알아야 한다.

마실 때는 시원하겠지만, 냉수는 우리 몸에겐 전혀 이로울 게 없다. 단지 목으로 넘어가는 시원하고 익숙한 청량감만이 있을 뿐이다.

이제부터 우리는 온수에 주목해야 한다.

실전 - 3일의 온수단식

실전에 들어가기 앞서 만약 혼자 생활하는 공간이라면, 냉장고 안의 음식물들은 미리 먹거나 처분한 뒤에 진행하는 걸 권장한다.

준비물을 정리해 보겠다.

1) 냉, 온 정수기
2) 텀블러
3) 프로바이오틱스 1개월분
4) FMD 50회 섭취분

온수도 생소한데, 온수단식은 더욱 생소할 것이다.

온수단식은 말 그대로 오로지 온수만 마시면서 3일간 단식을 진행하는 것이다.

기존에 섭취해서 축적된 음식들을 모두 밖으로 배출시키는 과정인데, 이 과정을 생략하면 전체 감량기간이 배로 늘어나기 때문에 감량 전에 필수적으로 치러야 하는 통과의례라고 생각하면 된다.

이제까지 단식을 아무런 안전장치나 기한 없이 무턱대고 했을 텐데, 단식은 무조건 온수를 병행해야 한다.

온수는 단식의 급격한 충격으로부터 몸을 보호해 주고, 배고픔을 어느 정도 진정시켜주며, 단식의 효과를 배가시켜 준다.

온수단식의 효능을 알고 싶다면, 우선 온수의 효능을 검색해서 결과를 따로 출력하고, 그 뒤에 똑같이 단식의 효능을 검색해서 결과를 출력한 뒤, 두장의 결과물을 같이 읽어보기 바란다. 그럼 왜 이 방식으로 진행해야 하는지 그 이유를 깨닫게 될 것이다. 그리고 이 두 가지를 진행하기 위해 본인이 지불해야 할 비용까지 산출해 본다면, 아마 말도 안 되는 가성비에 신선한 충격을 받을 것이다.

산삼을 실제 섭취해 본 경험자의 입장에서 볼 때 단언컨대 3일 온수단식은 최소 산삼 한뿌리정도의 효능은 충분히 느낄 수 있다고 생각한다.

단식의 흥미로운 점은 우리 몸은 단식을 할 때 마치 게임 속 퀘스트를 깰 때마다 아이템을 지급해 주는 것처럼 12시간, 24시간, 48시간처럼 진행하는 각 시간의 구간마다 각기 다른 호르몬과 더 좋은 보상작용을 지급해 주는 구조를 가지고 있다는 것이다.

위염이 있어서 아침공복상태일 때 입에서 악취가 올라오는 경우, 이 온수단식 3일이면 해결된다.

단식에 들어가기 앞서 몇 가지 참고할 만한 사항이 있는데, 진행하는 대상자가 40세 이상의 여성일 경우, 감량이 어느 정도 진행되는 중간에 갑자기 얼굴살이 빠지면서 주름진 얼굴이 드러나는 경우가 있는데, 이때 주름을 보고 당황한 나머지 감량전체를 일시중단하는 사례가 종종 있으니 얼굴 리프팅에 대한 준비를 미리 해놓고 나서 중간쯤에 같이 진행하는 것도 한가지 좋은 대비책이다.

온수단식에 들어가기 앞서 2가지를 반드시 머릿속에 준비하고 들어가야 하는데, 그 첫 번째로 온수단식은 내부로 하는 최첨단 운동이라는 걸 알아야 한다는 것이다. 헬스처럼 외부근육을 사용하는 운동은 트레이너의 방식도 천차만별이고, 나오는 결과물도 들쑥날쑥인 데다 자신의 몸을 힘들게 인위적으로 움직여야 한다는 여러 가지 불편한 단점들이 있지만, 내부로 하는 운동인 단식은 그냥 가만히만 있어도 각종 호르몬을 분비시키고, 장의 연동운동을 활성화시키면서 복부비만을 알아서 줄여주는데, 그것도 전 세계에서 오직 자신에게만 최적화되어 맞춰진 최첨단 방식으로 하는 정확한 운동이라는 것이다.

두 번째는 단식을 '굶는다'는 인식에서 '비운다'는 개념으로 반드시 바꾸어야 한다는 것이다.

어차피 그게 그거 아니냐고 할 수 있겠지만, 이 단순한 교체작업 하나로 단식에 대한 공포심과 고통이 상당히 많이 바뀌는 걸 실제로 느끼게 될 것이다. 실제로도 단식은 굶는다기보다 장속에 쌓인 음식물을 비워내는 작업이다.

늘 항상 '굶는다'는 말을 '비운다'는 말로 바꾸는 습관을 들인다면, 신기하게도 공복을 대하는 자신의 생각과 인식이 서서히 긍정적인 방향으로 바뀌어 가는걸 느끼게 될 것이다.

비우는 작업을 할땐 수많은 가짜배고픔들과 수많은 싸움을 해야 되는데, 이땐 PC가 나서서 든든하게 가시밭길을 방어해 줄 것이다.

필자도 PC 없이 온수단식은 불가할 만큼 PC는 필수적이다.

이때 느끼는 가짜배고픔을 만나기 싫은 고통이 아닌, 오히려 반가운 기회라고 생각하고, 적극적으로 PC를 사용해 눌러야 미래의 배고픔까지 미리 제거할 수 있다.

보통은 온수단식을 시작한 지 6시간이 지나는 구간쯤에서 첫 PC를 진행하게 되고, 12시간이 되는 구간에서 첫 고비를 겪게 된다.

특히 온수단식을 진행하는 1~2일간은 몸 이곳저곳에서 불편한 증상들이 많이 나타나는데, 평소에 과자나 밀가루 및 인스턴트식품을 많이 섭취한 사람에게서 특히 많이 나타난다. 하지만 대부분 일시적으로 나타났다가 금방 사라지기를 반복하고 보통 길어야 2~3시간이며, 두통 같은 경우는 하루를 넘기지 않기 때문에 절대 당황하거나 걱정할 필요가 없다.

증상은 20여 가지가 넘는데, 대표적인 것들로는 현기증, 두통,

메스꺼움, 두드러기, 오한, 부종, 눈이나 손떨림 등등이다.

몸이 깨끗하게 정화되는 과정이라고 생각하고, 그대로 받아들이면 된다. 별 것 아닌 증상인데도 지레 겁을 먹고 중단하는 안타까운 경우도 종종 있었다.

배가 고프면 잠을 못 이루는 유형이 있는데, 전혀 걱정할 필요가 없고, 잠에 드는 시간이 좀 늦을지언정 언제 잠들었는지 모를 정도로 곯아떨어진 뒤 깊은 숙면을 취하게 될 것이다.

다시 한번 강조하지만, 여러분은 가상의 병실 안에 있다는 걸 늘 인식하고 주위환경에 대해 철저히 대비를 해놓고 시작해야 한다.

온수단식기간에는 아무래도 일상적인 활동이 힘들 수도 있으니 직장에 다니는 경우라면 금, 토, 일처럼 주말을 최대한 활용해서 진행하는 걸 권장한다.

시작시간은 잠에서 깨어 눈을 뜬 시간을 기점으로 72시간을 진행하면 된다.

아침에 눈을 뜨자마자 프로바이오틱스를 한 알 섭취한 뒤 계속해서 온수를 섭취하면 된다. 프로바이오틱스는 프로그램이 종료될 때까지 매일 1회, 한 달간 섭취하면 된다.

보통 2일째 최대고비를 느낀다. 이날은 몸속에서 좋은 세포와 나쁜 세포들 간의 한바탕 큰 전쟁이 일어나기 때문에 기운은 상당히 떨어지고, 첫날 느꼈던 가벼운 증상들이 점점 심하게 나타났다 사라지기를 반복한다. 필자 같은 경우 오한 때문에 한여름

이상한 나라의 다이어트

인데도 추워서 종일 겨울이불을 뒤집어쓰고 있어야 했다. 이 날은 가급적 움직임을 최소화하는 것이 좋다.

이날의 배고픔은 어느 정도 괴로울 수 있는데, PC도 오후쯤 되면 조금씩 말을 안 듣는 경우도 있을 수 있다.

이때는 걱정, 불안, 초조와 같은 별의별 낯설고 불편한 감정들이 다 쏟아지듯이 느껴지게 될 것이다.

하지만 매뉴얼대로 온수와 PC는 끈기 있게 기계처럼 끝까지 진행해야만 한다. 이제껏 수많은 선배들도 지금처럼 똑같이 해왔던 것이라 생각한다면, 조금 위안이 될 수도 있을 것이다.

3일째가 되는 날은 대부분 가뿐해진 기분으로 상쾌하게 일어난다. 언제 그랬냐는 듯 어제 느꼈던 대부분의 고통들이 현저하게 줄어들거나 거의 사라져 있을 것이다. 공통적으로 말하는 느낌은 몸이 한결 가벼워지고, 머리가 맑아지며, 기존에 가져왔던 잔병들의 고통들이 없어졌다는 것이다. 필자가 보고 느꼈던 대상자들 외모의 공통된 변화는 우선 하나같이 얼굴의 피부빛이 하얗고 투명하게 밝아진다는 것이었다.

그 외에 체중으로 인한 무릎관절 때문에 걸음을 절룩이던 대상자가 정상적으로 걷는다던가 몇 달간 생리가 없었던 대상자가 갑자기 생리를 시작하는 등 수십가지 흥미로운 변화들을 많이 목격했다.

이렇게 데드라인을 넘기면 새로운 세계가 펼쳐지는데, 평소 먹어왔던 약의 섭취가 현저하게 줄어들고, 숙면을 취해 정신이

맑고 뚜렷해져서 운전할 때 졸음이 없어지고, 배고픔이 현저하게 줄어들고, 에너지가 넘쳐 활력이 생기면서 마치 이상한 나라에 온 것 같은 기분을 느끼게 될 것이다.

벌써부터 온수대신 커피로 하면 안 되냐고 묻고 싶은 사람들이 있을 텐데, 이런 경우 대답보다 책을 처음부터 다시 한번 읽기를 권장한다.

온수를 마실 때 필수인 장비가 바로 '정수기'와 '텀블러'다.

온수가 나오는 정수기가 없다면, 상당한 귀찮음을 감수해야 된다. 커피포트나 전자레인지도 가능은 하지만, 3일쯤 지나면 점점 번거로운 피로도를 느끼며 온수준비가 게을러질 것이다. 굳이 정수기가 아니더라도 언제든 필요할 때 바로바로 꺼내마실 수 있는 장비라면 합격이다. 텀블러는 필수적인데 중간에 온도가 식으면 귀찮더라도 언제든지 성실하게 뜨거운 온수로 교체를 해주어야 한다.

종종 텀블러 없이 컵으로 진행하려는 경우가 있는데, 컵에 온수를 부어보면 얼마 만에 금방 식어버리는지 알 수 있다.

텀블러는 반드시 챙겨야 하는 필수품 중의 필수품이다.

텀블러를 항상 24시간 옆에 가까이 두고 조금씩 충전하듯 자기 전까지 마시는 게 가장 이상적이다.

기존에 어떤 약을 복용해 왔다면, 약을 그대로 복용하면서 진행해도 상관은 없지만, 크게 불편하지 않은 상황이라면, 최대한 복용시간이나 횟수를 점차 늦춰서 실제 그 약의 필요성을 체크

이상한 나라의 다이어트

해 보길 바란다.

3일 온수단식은 모든 다이어트를 하기 전의 필수준비과정이다. 온수단식은 일반단식의 효과를 최대 2배까지 증폭시켜 준다. 단식이라고 해서 벌써부터 겁을 먹는 경우도 있을 텐데 이제껏 가보지 않은 낯선 곳이라서 그렇다. 하지만 목까지 차오르는 물에서 발을 디딜곳만 찾는다면, 그 사람은 평생 수영을 하지 못하듯이 단식도 발을 뗄 때는 과감한 결단력과 용기가 필요하다.

온수단식의 목적은 그냥 단순히 굶는 게 아니라 기존에 먹어서 쌓아왔던 장속의 음식물들을 배출시킨 뒤, 교체투입시킬 FMD의 원활한 흡수과정을 위한 기초작업이다. 쉽게 말해 FMD가 지나가야 하는 길에 아스팔트를 깔고, 구덩이를 메꾸고, 바위를 치워내고, 산에 터널을 뚫는 과정이라고 이해하면 된다. 이 기초작업 없이 FMD를 진행할 경우, 전체 진행기간이 2~3배 정도까지 길어지기 때문에 한 달이라는 집중기간을 넘기지 않기 위해선 반드시 거쳐야 하는 관문이라고 할 수 있다.

종종 온수단식에 매료되어 에너지가 넘치는 분들이 더 해도 되냐고 묻는 경우가 있는데, 이 72시간을 넘기는 건 그닥 권장하지 않는다.

위험한 데드라인이며 당겨진 새총의 고무줄이 발사되지 않도록 실을 감기엔 약간 위험한 시간이기 때문이다. 물의 온도는 평소 차를 마시는 뜨거운 온도를 유지해야 한다. 하루섭취하는 총량은 상관없이 계속 꾸준히 조금씩 충전하듯 마셔야 한다.

많이 마신다고 해서 문제가 된 적은 없으며, 어차피 뜨거운 물이라서 빨리 들이키기도 힘들뿐더러 천천히 생각날 때만 마실정도라면 알아서 그날의 양이 정해진다.

온수단식의 중요한 부분에 대해 정리해 보겠다.

1. 단식은 내부로 하는 안전한 운동이며, 굶는 게 아니라 비우는 작업이라는 걸 인식해야 한다.
2. 텀블러는 필수고 냉, 온정수기가 없어도 진행은 가능하지만, 대신 상당한 불편함을 감수해야 한다.
3. 텀블러의 온수가 식었을 때 귀찮더라도 뜨거운 온수로 성실하게 교체해 줘야 된다.
4. 온수단식은 반드시 PC를 병행해야 힘들지 않게 할수 있다.
5. 온수는 3일간 조금씩 충전하듯 쉬지 않고 꾸준히 마셔야 한다.

FMD식 시작

온수단식을 성공적으로 무사히 끝냈다면, 이제 대망의 첫끼 FMD를 섭취할 차례다.

FMD식은 총 15일간 진행한 후 나머지 12일은 일반식과 FMD식을 섞어서 병행하는 방식이다.

이 15일이 가장 드라마틱한 변화를 겪게 되는 하이라이트 구간이니 가장 큰 집중이 필요한 기간이기도 하다.

섭취시간을 정리하자면 다음과 같다.

〈3일 온수단식 후 나머지 27일 식단〉

15일간 하루 2끼 ALL FMD 식 / 12일간 일반식 1끼+FMD 1끼

(체중이 100kg 이상인 대상자들은 다소 힘들더라도 27일간 전체 식사를 ALL FMD로 진행해야 가장 이상적인 결과를 얻을 수 있다. 일반 대상자들도 FMD식을 할 수 있는 한 오래 유지

하는 게 좋다.)

　현재로선 이 시간과 방식이 가장 이상적이다.

　이 공식이 여러분 인생의 다이어트를 종결지을 수 있는 절대
시간표가 될 텐데, 생각했던 것보다는 허무할 만큼 간단해보이
지만, 막상 실행해보면 그리 만만치는 않을 것이다.

　우리의 최종목표는 복부비만의 완전 제거인데, 복부비만이 얼
마나 오래 진행됐느냐에 따라 각자 소멸되는 기간에 어느 정도
편차가 있을 수 있으니 최종목표지점에 도달할 때까지 기간을
어느 정도 조정해야 될 수도 있다.

　대부분 도대체 어디까지 감량을 해야 되는 건지 몰라서 보통
BMI나 자신들이 희망하는 대략의 체중을 산정해서 목표를 잡는
데, 우리의 최종목적지는 반드시 복부비만의 소멸이라는 점을
명심해야 한다.

　복부비만을 측정하는 방법은 눈으로 관측하는 방법이 가장 정
확한데, 상의탈의 후 힘을 뺀 상태에서 앉은 자세로 아랫배를 내
려다봤을 때 불룩한 배가 관찰되지 않아야 한다.

　화장실에서 아침에 샤워하기 전의 시간이 가장 이상적이다.

　하루에 총 2끼를 섭취하는데, 시간은 오전 10시와 오후 4시가
가장 이상적이지만, 불가피하게 근무시간에 맞춰야 하는 상황이
라면, 정오 12시, 오후 6시처럼 어느 정도 조정을 해도 무방하다.

　단, 취침시간은 '저녁식사 뒤 최소 5시간 후'라는 공복수면시
간만 지키면 된다. 공복수면은 뒤에서 자세히 다루도록 할 텐

데, 쉽게 말해 저녁식사를 6시에 했다면, 3시간 후인 9시에 잠들면 안 되고, 최소 5시간 후인 11시까지는 눈을 뜨고 있어야 된다는 것이다.

만약 저 섭취시간이 불가능한 야간일이나 특정시간에 근무를 해야 하는 경우라면, 잠에서 깨어난 뒤 3시간 후에 첫끼를 먹고, 6시간 후에 2번째 끼니를 먹는 공식으로 대입해서 진행하면 된다.

여기서 가장 중요한 건 섭취시간은 반드시 알람을 맞춰놔야 한다는 것이다. 업무에 방해가 된다면 진동으로라도 울릴 수 있게 반드시 설정해 놔야 때를 놓치지 않을 수 있다.

FMD는 첫끼가 상당히 중요한데, 이때 배가 고픈 나머지 급하게 허겁지겁 섭취하는 경우가 있는데, 이렇게 섭취하게 되면, 후속 배고픔이 상당히 크게 밀려오게 된다.

그러므로 FMD 역시 온수처럼 충전하듯 조금씩 천천히 30분 정도 여유를 두고 섭취해야 한다.

여기서 또 중요한 점은 FMD 식 섭취 전, 한시간과 FMD 식을 끝낸 후 두 시간 동안은 온수섭취를 금지해야 한다. 다시 말해 FMD 식 전후로 각각 1시간, 2시간 동안은 온수섭취를 금지하는 것이다. FMD 식을 물과 함께 마시게 되면 소화액인 위액이 희석이 되어 소화, 흡수활동을 방해하기 때문이다.

알람시간은 다음과 같다.

---

1) 07:00 — 프로바이오틱스 섭취 및 온수섭취

2) 09:00 — 온수 중단

3) 10:00 — FMD 섭취

4) 12:00 — 온수 섭취

5) 15:00 — 온수 중단

6) 16:00 — FMD 섭취

7) 18:00 — 온수 섭취

시간은 처한 상황이나 여건에 따라 조금씩 조정해도 무방하다.

FMD 섭취 후 목이 좀 마를 수 있는데, 2시간 동안 물을 참는게 조금 불편할 수 있지만, 차츰 적응이 된다.

여기서 중요한 건 만약에라도 중간에 진행을 멈추고 자신과 한 번이라도 타협을 하게 된다면, 처음으로 리셋이 된다는 게 함정이다.

살이 좀 빠졌을 때 상당수가 빠지게 되는 함정이 있는데, 시작한 지 얼마 안 됐는데도 금지된 체중계를 재본뒤 5~6kg이 빠진 걸 확인하곤 '아 이제 어떻게 하는지 다 알았으니까 미뤄놨던 약속들 좀 참석하고 좀 먹은 다음에 다시 시작해도 되겠지' 하고 생각하는 사람들이 더러 있었는데, 이는 치명적인 실수로 결론적으로 어렵게 뺀 5~6kg을 날려버리는 걸 넘어서 다시 프로그

이상한 나라의 다이어트

램으로 돌아오지 못하는 최악의 결과들을 수 없이 봐왔다는 점을 참고하기 바란다.

물론 언제든 다시 시작하면 되겠지만, 통계상 다시 시작했던 사람이 기억에 거의 없는 걸로 봤을때 기회는 단 한 번뿐이라고 생각하는 게 바람직할 것이다.

프로그램을 끝까지 마친 외계인 같은 체질의 사람이 다시 한 번 온수단식을 하는 건 그렇게 어렵지 않은 일이지만, 중간에 그만 둔 미숙한 사람에게는 그야말로 다시 돌아가기 힘든 공포일 수 밖에 없기 때문이다.

장거리 여행이나 출장을 가야 될 상황에선 반드시 텀블러 같은 모든 장비와 제품 및 알약을 용기에 담아 챙겨서 가야 된다는 것도 적어놓는다.

이렇게 보름동안 아무 생각 없이 무념무상으로 FMD 식을 진행하면 된다. 힘들 때마다 PC를 적극 활용하기 바란다.

혼합 FMD식 시작

 이렇게 15일간의 FMD식을 끝냈다면, 이제 어려운 미션의 7~80%는 지나갔다고 봐야 된다.

 만약 누군가가 여기까지 완수를 했다면, 필자가 옆에서 환호성을 지르고 박수를 쳐주며 등에 업고 동네 한바퀴를 돌았다고 상상해도 무방하다.

 이제 깊숙이 숨겨두었던 체중계를 꺼내서 체중을 한번 재보기 바란다. 그리고 반드시 다시 집어넣어야 한다.

 만약 이렇게 온수단식까지 총 18일을 매뉴얼대로 진행했다면, 지금쯤 주위에서 자신을 몰라보는 상황을 많이 겪게 될 것이다. 하지만 이때도 정말 조심해야 되는데, 이제는 진짜 모든 걸 알았다는 자만심에 빠져서 위험한 보상심리를 발동시키는 2차 고비를 겪는 경우가 생각보다 많다.

 그러니 주위에서 어떠한 칭찬과 감탄을 듣게되더라도 절대 일

이상한 나라의 다이어트

희일비하지말고 생전 처음 겪어보는 온갖 불편한 고통들을 감수해가며 정말 어렵게 쌓은 공든 탑이라는 걸 되새기면서 더더욱 모든 걸 조심스럽게 섭취해야만 한다.

지금 그 모습을 유지해 내기 위해선 아직 앞으로 가야 할 길이 많이 남았으니 절대 미리 샴페인을 터트리지 않길 바란다.

다시 한번 강조하지만, 우리의 아랫배가 완전히 들어가기 전까지 이 다이어트는 절대, 결코 완성된게 아니고 계속 진행형이라는 걸 명심하기 바란다.

드디어 여러분이 고대하고 고대하던 일반식의 시작이다.

이제는 하루 한 끼 일반식과 한 끼의 FMD로 식단을 구성해야 한다.

이렇게 12일간이다.

일반식을 하루에 한 끼만 먹는다는 일이 다소 힘들게 느껴질 수도 있지만, 온종일 FMD만 섭취했던 15일에 비하면 환상적인 천국일 것이다. 조금만 적응을 해나간다면, 메뉴를 고르는 일마저 귀찮았던 일반식이 이젠 점점 기대가 되면서 훨씬 맛있고 소중하게 느껴지는 한끼의 식사로 변해 갈 것이다.

첫 일반식은 절대로 많이 먹지 못하기 때문에 한주먹정도의 분량만 준비하기 바란다.

참아왔던 식탐 때문에 이것저것 2~3가지 이상의 음식들을 펼치는 경우가 많은데, 대부분 모두 남기게 된다.

그리고 이미 미각이 상당히 둔해져 있는 상태이기 때문에 본래의 음식맛을 제대로 못 느끼는 경우가 많아서 보통 실망을 많이 하게 된다.

첫끼는 부드러운 닭백숙이나 영양죽을 권장한다.

구운 고기나 자극적인 음식들은 위에 작은 경련이나 트러블을 만들 수 있으니 첫끼에는 권장하지 않는다.

순서는 점심에 일반식을 하고 저녁에 FMD 식을 하면 되는데, 약속이나 상황에 따라 어느 정도 순서를 바꿔도 상관없다. 이 기간은 자신이 이제껏 환경설정을 얼마나 잘 준비하고 못했는지 판가름이 되는 시기라고 보면 된다. 이때가 정말, 수 많은 주위의 유혹과 어려운 선택과 충동과 자만심이 난무하는 구간이라고 볼 수 있는데, 필자는 어디에서 가장 많은 탈락자가 생겼고, 환경설정의 중요성에 대해서 얼만큼 강조했는지 관심있게 읽어 본 사람이라면 알 수 있을 것이다.

유지기간의 시작

온수단식 3일과 FMD 식 15일, 그리고 혼합 FMD 식 12일까지 해서 총 30일을 무사히 진행했다면, 이제는 감량한 그 체중을 1개월간 유지하기만 하면 된다. 그런데 아직 복부가 다 사라지지 않았다면, 혼합식을 그대로 계속 어느 정도는 유지해야 한다.

지금쯤 아마 외모가 몰라보게 달라져서 주위에서 선뜻 알아보지 못하거나 놀라는 사람이 많을 것이다.

체중감량 뿐만 아니라 얼굴크기가 아주 작아지면서 동시에 전체 얼굴 빛까지 하얗고 환하게 변하기 때문에 마치 시간이 뒤로 간 듯 젊어져서 외형적으로도 큰 변화를 겪게 되지만, 무엇보다 내부적인 건강의 변화를 크게 느끼면서 여러가지 생활패턴들이 조금은 달라질 것이다.

유지가 시작되는 1개월 동안의 섭취방식은 감량공식처럼 일반식 1끼가 포함된 혼합 FMD식을 기본방식으로 하지만, 시간은 조금씩 변동된다는 차이점을 갖고 있다.

전체 프로그램기간은 2개월로 감량 1개월, 유지 1개월이다.

힘든 정도를 굳이 따진다면 80: 20 정도라고 볼 수 있듯이 감량기간에 비해 유지는 비교적 쉬운 편이지만, 중요도를 따진다면 20: 80으로 숫자의 위치가 뒤바뀐다.

그러므로 이 유지 1개월 동안은 힘겹게 쌓아놓은 둑이 무너지지 않도록 조심히 전략적으로 먹어가며 체중을 지켜내야 하는 중요한 기간이라고 할 수 있다.

이미 여러분의 몸은 음식을 어느 정도 초월한 체질의 상태이므로 그 상태를 계속 유지해나가야 한다.

그 밸런스를 흩트리지 않고 계속 유지해 나간다면, 몸은 계속해서 자동적으로 알아서 조금씩이라도 계속 감량해 나갈 것이다.

이제부터는 시간에 맞춰 일정하게 섭취했던 루틴에서 벗어나

유지를 위한 여러가지 방어 트레이닝을 해야 하는데, 먹는 시간과 방법은 뒤의 18:6 공식이나 인슐린 다이어트 편에서 설명하도록 하겠다.

어떻게 저렇게 먹고 버티겠냐는 하소연은 중간에 포기한 사람들에게서 가장 많이 들었던 말인데, 실질적인 영양소를 놓고 냉정하게 비교한다면, 평범한 백반 한 끼를 먹었을 때 우리가 섭취할 수 있는 실질적인 영양분은 밥 반공기가 채 안 되는 반면

이상한 나라의 다이어트

FMD 한끼는 밥 3~4 공기 정도의 분량이 나온다고 볼 수 있다.

그럼 어느 쪽이 우리 몸에 더 푸짐한 만찬이라고 볼 수 있을까?

평소에 먹어왔던 맛있는 음식들보다 FMD가 오히려 훨씬 영양소가 풍부한 식단인데도 그 음식의 다채로운 맛을 즐기지 못한다는 그 공포가 두려운 것일 뿐이다.

이렇게 한 달만 더 고생하면 된다.

그러면 최소 1년간은 요요 없이 날씬함과 건강함을 유지할 수 있는 데다 성장호르몬으로 인해 몸이 몇 년은 더 젊어지게 된다. 이건 만나는 사람마다 도대체 무엇을 한 거냐는 질문들이 증명해 줄 것이다.

1개월의 유지과정마저 끝나면 배고픔의 고통에서 자유로워지게 되고, 음식에 끌려다니지 않으면서 내가 원하는 대로 선택해서 먹을 수 있게 된다. 그리고 어지간히 먹지 않고는 좀처럼 다시 잘 찌지 않는다.

그럼 총 두 달이란 시간은 인생에 있어 충분히 투자해 볼 만한 가치가 있고도 남을 것이다.

이 프로그램을 통해 감량에 성공한 사람 중에 적지 않은 사람에게서 이 일에 회의감을 느끼게 할 만한 충격적인 얘기를 종종 듣게 되는데, 그건 어차피 굶으면 다 빠진다는 얘기다.

그리고 보통 그 뒤로 나와의 모든 연락을 조용히 끊는다.

이 책을 어느 정도 진지하게 읽어본 사람이라면, 이게 얼마나 실망스러운 말일지 어느 정도는 짐작이 될 것이다.

도대체 왜 그렇게 생각하는 건지 조금 억울한 마음에 이리 저리 물어봐서 알게 된 이유가 너무나도 황당했는데, 결국은 어차피 내가 그들을 굶겼다는 것이고, 굶었으니까 어차피 혼자 스스로 모든 고통을 감수한 거라고 생각한다는 것이다.

재미있는 건 그중엔 단식원을 2년이나 다녔던 사람도 있었다는 것이다. 그렇게 엄청난 시간을 고생했는데도 결국 빠지지 않아서 나에게 왔던 것인데도 그렇게 단순하게 생각할 수 있다는 것에 큰 충격을 받았었다.

결국 그들에게 나는 자신들을 교묘하게 밥을 굶긴 존재 그 이상도 이하도 아니었던 것이고, 그들은 간접적인 피해자라고 생각하는 것이었는데 대부분 이론에는 전혀 관심이 없고 당장 체중을 빼는 것에만 급급했던 케이스가 대부분 그런 상황을 만들었다.

군대를 다녀와서 자신이 어느 정도 성장했다는 생각은 있지만, 절대 다시 가고 싶진 않고, 특히 혹독했던 조교의 얼굴은 다시 보고 싶지 않은 심리와 비슷하다고 볼 수 있다.

반면 필자는 한 명을 감량시키면 10년 정도 수명이 단축된 것처럼 얼굴이 초췌해지기 일쑤였다.

안타까운 건 지금은 그들은 하나같이 거의 다시 예전의 체중으로 돌아갔다는 것인데, 이중과제 중에 한 개의 과제에만 열심히 몰두했던 결과들이라고 볼 수 있다.

이상한 나라의 다이어트

반드시 충분한 이론을 숙지해야만, 유지가 가능하다는 법칙을 그 대상자들의 결과를 통해 다시금 확인하는 계기가 됐지만, 한편으로는 서로 크나큰 노력을 했음에도 불구하고, 이렇게 양쪽에 큰 상처와 기억을 남기면서 종료하는 결말이 많기 때문에 결국 사람의 본능을 억제하는 일이란 게 보람보다는 내적인 고통이 클 수밖에 없다는 사실도 알게 됐다.

그래서 노파심에 여러분에게 바라고 싶은 한 가지는 이 방식은 굶기는 게 아니라 오히려 세공기의 풍성한 밥을 떠먹여 주는 일이라는 걸 알아줬으면 하는 바람이다.

아침식사의 반란

이제부터는 체중유지에 필요한 지식들에 대해 몇 가지 설명하도록 하겠다.

우선 아침식사부터 한번 살펴보자.

아침을 먹는 게 좋은지 안 좋은지에 대한 난제는 아직까지도 의견이 분분한 논쟁거리다.

커피가 몸에 좋다, 안 좋다를 놓고 벌였던 논쟁과도 비슷하다.

여러분도 아직까지 어느 쪽이 좋은 건지 도통 알 수가 없어 많이 혼란스러울 것이다.

결론부터 얘기하자면, 체중유지를 위해선 아침을 먹는 것도 좋지 않고, 커피를 먹는 것도 좋지 않다. 하지만 예전에도 언급했듯이 사람들은 무엇이든 안 먹는 쪽보다는 먹는 쪽에 더 큰 성원을 보내기 때문에 이 두 가지는 아직까지 먹는 게 더 좋다는 쪽의 주장이나 견해들이 많은 편이다. 물론 아침이나 커피의 이로운 점도 분명히 있겠지만, 그건 일반적인 사람들의 공식이고 우리는 아직 환자복을 벗지 않은 상황이라는 걸 명심해야 한다.

아침이나 커피를 먹는 게 좋다는 쪽의 사람들과 온라인에서 언쟁이 한번 붙은 적이 있는데, 나의 단 몇 마디 말로 모두가 일시에 조용해진 적이 있다.

실제로 일정 기한을 두고 두 가지를 중단을 하면서 체중과 건강을 기록해 가며 자기 몸에 직접 실험을 해본 적이 있냐고 물었더니 갑자기 모두 꿀먹은 듯 조용해졌다.

그걸 잠깐 참으면서 기록을 한다는 게 그렇게 어려운 일도 아닐 텐데, 그만큼 요즘은 자신이 주장하는 논리에도 점점 성의가 없어지는 것 같다.

커피가 어디 당뇨나 심혈관에 좋다거나 피부미용에 좋고 해도 숙면을 방해하는 것 하나만으로도 대상자들이 먹지 말아야 할 이유는 충분하다.

자신은 커피를 마셔도 충분한 숙면을 취하고 있다고 얘기하는 사람들의 경우 막상 몇 가지만 확인해 보면, 숙면이 아닌데도 너무 오랫동안 몸에 배어버린 수면습관이라서 자신의 잠이 숙면인지 설잠인지 분간을 못하는 경우가 많았고, 심지어 진짜 숙면이 뭔지 그 정의조차 모르는 경우도 많았다.

그렇기 때문에 장기간 숙면을 취하지 못하면, 그게 비만에 어떤 영향을 끼치게 되는지 절대 알 턱이 없다.

늘 얘기하지만 건강보다는 맛에 대한 만족도가 더 크기 때문인데, 커피는 이미 너무나 보편화돼 있는 식품이기때문에 그외의 더 많은 문제들에 대해선 더 이상 언급하진 않겠다.

아침식사는 간헐적 단식과 대치가 되는 문제를 안고 있다.

간헐적 단식시간인 16:8은 8시간 안에서만 음식을 섭취하고, 나머지 16시간동안 공복상태를 유지해야 한다는 공식이다.

16:8의 공식은 많은 사람들이 좋다는 걸 알고 있고, 실제 효과가 있기 때문에 호불호가 별로 없으며, 이제 어느 정도 보편적인 공식으로 자리 잡은 추세고, 나 역시 가장 확신을 갖고 있는 몇 안 되는 공식 중의 하나다.

그런데 아침식사를 16:8의 공식에 넣으려면 8시간 안에 총 세 끼를 먹어야 된다는 얘긴데, 다시 말해 2시간 반마다 한 끼씩 먹어야 된다는 말도 안 되는 계산이 나오기 때문에 우선 너무나 지키기 힘든 공식이 돼버리고 만다.

그래서 결론적으로 16:8의 공식은 이미 아침식사는 걸러야 되는 2끼의 공식일 수밖에 없다.

학계에서 '아침식사와 비만의 관계'라는 주제로 이제까지 총 13개의 연구가 진행됐고 2019년인 최근에 학술지에 종합 비교 분석한 발표가 있었는데, 아침식사를 한 대조군에서 의미 있는 체중 감량효과가 나오지 않았다는 결과와 체중감량이 필요한 성인에게 아침식사를 권하는 건 주의가 필요하다는 결론이 나왔다.

실제로 내 몸에 실험을 해봤을 때도 아침식사는 매번 상당히 안 좋은 그래프를 만들곤 했다.

이처럼 아침식사라는 공식은 아직 애매하거나 불확실한데 반해 16:8의 공식은 결과가 확실한데도 우리는 아직 애매한 쪽을 더 많이 선택하고 있는 상황이다.

필자가 경험해 봤을 때 고통이나 부담 없이 체중을 조절하기에 가장 효과적으로 활용할 수 있는 최고의 황금시간은 바로 아침시간이다.

간헐적 단식의 함정

　대상자들이 기존에 먹어왔던 음식의 종류와 전체 양을 변경하지 않고, 단지 섭취하는 시간을 조정하는 것만으로도 실제 감량을 시킨 나의 실험사례가 있다. 대신 건강상태의 개선이나 감량의 크기는 주목할 만 한 게 없었지만, 이런 사례 하나만 놓고 봐도 먹는 시간이 우리에게 얼마나 중요한 지 알 수가 있다.

　이렇게 섭취시간이 중요한데도 우리는 무엇을 먹어야 되는 지에만 열중을 하고, 정작 먹는 시간에 대해선 큰 관심을 두지 않고 있다.

　그래서 자신은 분명 살이 빠지는 건강식의 메뉴로 먹었는데도 더 찌거나 정체를 겪었다는 사례가 어찌 보면 당연한 일일 지도 모르겠다.

　16: 8 이라는 이 기적과도 같은 공식이 세상에 나왔는데도

　왜 다들 지키고 있지 않는 것인지 곰곰이 들여다보니 여기에도 그만한 함정이 있었다.

첫째는 16:8의 공식은 생리학적으로는 완벽하지만, 우리 실생활에 적용하려면 조금의 수정이 필요하다.

우리의 소화기관이 가장 활발한 시간이 해가 중천에 떠있는 낮 12시부터 해가 지는 저녁 6시까지인데 16:8의 공식도 이 시간의 범위를 가급적 벗어나지 않는 것이 좋다.

생각보다 이 16:8 공식의 실패율이 높은 편인데, 우선 3끼를 먹는 사람들과는 아예 맞지 않는 공식이고, 2끼를 먹는 사람들에게도 8시간이라는 섭취시간은 너무나 애매하고 길기 때문에 일정했던 패턴이 한번이라도 무너지면, 다시 어떻게 원위치를 시켜야 되는 건지 알기 힘든, 너무나 어렵고 복잡한 기하학이 돼버린다.

오늘은 점심을 좀 늦게 2시에 먹었으니 공식대로라면 저녁은 10시쯤에 먹으면 되겠다고 생각할 수 있지만, 저녁을 10시에 먹게 되면 소화기관의 움직임이 느려지는 시간에 먹는 셈이기 때문에 16시간보다 몇 시간을 더 비워줘야 된다는 함정을 갖게 된다.

그래서 결국 저녁식사를 늦게 하면 16시간 비우기는 커다란 효과를 보지 못하게 된다.

심지어 시간이 몇 번 밀리다 보면 늦은 밤에 야식을 먹어야 된다는 엉뚱한 계산이 나오기 때문에 이 공식은 초등학교 산수에서 순식간에 미분 적분으로 전환이 돼버린다.

이렇듯 16:8의 공식은 생각보다 지키기가 쉽지 않다.

그래서 난 16:8보다는 하루에 6시간 안에서만 먹는 18:6 이라는 공식을 권장한다.

총 18시간을 비우고 6시간 안에서만 섭취를 하는 것이다.

그냥 하루에 6시간 안에서만 식사를 하는 공식이라고 생각하면 이해가 쉬울 것이다.

만약 점심을 낮 12시에 먹는 직장인이라면, 저녁은 늦어도 6시정도에 먹는 게 가장 이상적이다.

종종 돌발적인 스케줄로 인해 시간이 조금씩 밀려서 어떤 날은 하루에 1끼만 먹어야 되는 경우가 종종 발생하게 되는데, 이때는 혼합 FMD식을 이용해 다시 리셋을 시키면 된다. 즉 첫 끼에 일반식 1끼를 먹은 뒤, 두 번째 끼니를 일반식 대신 FMD로 대체해서 섭취하는 방식이다. FMD는 절대적인 섭취시간에 크게 구애를 받지 않고, 어느 정도 자유로운 시간에 섭취해도 큰 지장이 없기 때문에 정 힘든 경우라면 늦은 시간이라도 FMD를 보조해서 섭취하면 된다.

FMD는 언제나 한끼가 아닌 유령의 끼니로 계산하면 된다.

그러면 결국 그 날은 실제로 총 1끼를 먹은 셈이 되기 때문에 리셋이 가능해지고, 다음 날 다시 원래의 패턴대로 돌아갈 수 있게 된다.

감량기간이 끝난 뒤 유지기간 동안은 이 18:6의 공식대로 섭취시간을 전환해서 진행하면 된다.

배고픔이 느껴질 때 조바심이나 두려움을 버리고, 단지 저 비우는 시간을 일종의 건강을 위한 '게임'이라고 생각하며 공복을 즐길 수 있는 수준에 다다른다면, 그 사람은 이미 5%가 될 수 있는 자격을 갖췄다고 얘기할 수 있다.

다이어트계의 넘버 3 - 인슐린 다이어트

가끔 우리는 매뉴얼에서 벗어나는 경우를 종종 겪게 된다.

스스로의 절제력이 떨어져서 그러는 경우도 있지만, 주위환경 때문에 그럴 때도 있는데, 그런 상황이 우연찮게 몇 번 겹치다 보면, 음식을 먹는 양이 어느새 자기 자신도 모르게 점점 늘어나기 시작한다.

소위 '입이 터진다'고 표현하는데 기존의 루틴을 한번 깨고 난 뒤 다시 바로 원위치를 시키지 못하면, 진짜 둑이 무너지듯 먹기 시작하면서 모든 균형이 힘없이 허물어져버린다.

특히 술자리가 많은 대상자들에게서 이런 사례를 많이 보게 된다.

늘 얘기하듯 우리의 가장 큰 적은 외부환경인데 음식은 우리의 의지나 계획과는 상관없이 불시에 찾아오는 경우가 많다.

만약 결혼식에 돌잔치에 주말 모임까지 겹쳐버리면, 종종 위험한 분량의 음식을 섭취하게 되는 상황이 발생하기도 한다.

16:8을 보완한 게 18:6 공식이지만, 이 공식마저 이런 급작스런 상황을 몇 번 겪게 되면, 대책이 없어지는데 이런 때를 대비해 우린 비상시에 쓸 수 있는 보조 다이어트를 하나 준비해 둬야 한다.

이 공식은 원래 감량이 끝난 뒤 유지기간을 보호하기 위한 목적의 안전장치인데, 그 효과가 워낙 강력해서 반대로 급하게 감량해야 될 때도 꺼내 쓸 수 있는 전천후 공식이다.

'인슐린 다이어트'라고 하는 이 시스템은 말 그대로 인슐린이 높게 분비되지 않도록 천천히 수치를 낮추는 작업이라고 할 수 있는데, 1일 1식을 가볍게, 별 고통 없이 진행할 수 있는 체질로 만드는 일종의 트레이닝이다.

늦게까지 야식을 먹은 다음 날에도 간헐적 단식을 유지하려면 계산상 하루 1끼만 먹어야 하는데, 이때 큰 배고픔을 느끼지 않는 몸이 되도록 트레이닝을 하는 것이다.

인슐린 수치가 낮다면 평소 배고픔을 잘 느끼지도 않고, 많이 먹어도 좀처럼 살이 잘 찌지 않는 '외계인 체질'이 되기 때문에 이 수치를 극한으로 낮춰 놓는 일은 누구에게나 가장 중요한 숙원사업이 될 것이다.

이 시스템은 일정하게 정해진 기준이 없이 전적으로 본인의 역량과 계산에 따라 조절을 하며 진행해야 하기 때문에 사람마다 습득하는 기간에 차이가 있다.

지금까지는 12시나 6시처럼 섭취시간이 어느 정도 정해져 있어 다소 수동적인 형태로 진행했지만, 이젠 자신이 먹는 시간을 알아서 정하고 컨트롤하며 능동적으로 진행해야 한다.

이 부분이 트레이닝이 안 된다면, 언제나 제한적인 시간의 틀 안에 갇혀서 자유롭지 못하게 되고, 결국 자신의 식사시간이나 스케줄을 직접 설계하지 못하게 된다.

원리는 너무 간단하다.

자신이 현재 섭취하는 모든 식사 시간을 30분씩 뒤로 늦추는 것이다.

만약 첫끼를 낮 12시에 먹었다면, 다음날은 12시 30분에 먹는 식이다.

그렇게 루틴을 어느 정도 유지하다 좀 적응이 됐다 싶으면, 다시 30분을 더 늦춰서 1시에 먹으면 된다.

물론 저녁 역시 그에 맞춰 뒤로 점점 늦춰서 먹는다.

이 과정만 계속 반복하면서 식사시간을 조금씩 늦추기만 하면 된다. 이미 인슐린수치가 어느 정도 안정화가 돼있는 상황이라서 생각보다 배고픔이 잘 안 느껴질 수도 있다.

그래서 어제는 1시까지 배가 안고팠는데 오늘은 점프를 해서 4시까지 배가 안 고플 수도 있다. 이때 아무런 걱정이나 의심을 하지 말고 몸이 시키는 대로 '안 배고프면 안 먹는다'는 원칙을 지켜나가면 된다.

늦춰지는 시간만큼 저녁시간이 계속 뒤로 밀리게 되는데, 정 힘든 경우 FMD를 섭취하고, 괜찮다 싶으면 그냥 거르면 된다.

FMD는 일반식에 비해 몸에 끼치는 영향이 그리 크지 않아서 18:6 공식에서도 어느 정도 자유롭기 때문에 너무 늦지 않은 시간이라면, 금지된 시간에 섭취해도 크게 영향이 없다.

이렇게 아침시간이 밀리고 밀려서 저녁 6시까지 배고픔을 한 번도 느끼지 않았다면, 비로소 인슐린다이어트가 완성된 것이다.

저녁 6시까지 배가 고프지 않았을 때 영양보충을 위해 FMD를 섭취하거나 아니면 아예 패스해 보는 것도 좋은 경험이 될 것이다.

이렇게 6시까지 늦춰지는 날이 몇 번 반복되다 보면, 어느 날 갑자기 하루 종일 아무것도 먹지 않아도 배고프지 않은 신기한 경험을 하게 된다.

체질에 따라 남다른 습득속도를 보이는 경우가 있는데, 이런 사람들은 별로 배고픔이 느껴지지 않아 시작한 첫째 날부터 두세 시간을 아무렇지 않게 늦추는 경우도 있고, 심지어 일주일 만에 마스터를 해서 1일 1식을 아무런 배고픔 없이 진행하는 경우도 있다.

일반 직장이나 회사에 근무하는 경우는 갖가지 환경적 상황들 때문에 좀 힘들 수도 있지만, 하겠다는 본인의 의지만 있다면 얼마든지 회사 내에서도 스스로 방법을 찾아낼 수 있다.

이 시스템의 기본 원리는 쉽게 말해 전날에 잠들어 조용히 자고 있는 인슐린을 최대한 깨우지 않는 방식이라고 할 수 있다.

우리의 인슐린은 첫끼의 음식을 먹는 그 순간부터 깨어나서 그 뒤로 쉬지 않고 계속 활발한 배고픔을 만들어낸다.

인슐린을 하나의 인격체로 생각한다면 좀 더 이해가 쉬워질것이다.

뱃속에 거지가 들었냐는 우스갯말이 있는데, 실제로 인슐린이라는 거지가 있다고 생각하고 깨어나지 않게 계속 재우는 것이라고 이해하면 된다.

인슐린에겐 하루 중에 가장 처음 먹는 음식섭취 시간이 곧 기상시간이고, 그 시간을 기점으로 하루 종일 배고픔을 만들어내기 때문에 애초에 아예 전쟁을 시작하지 못하도록 미리 사전에 차단을 해놓는 것이다.

전쟁을 하지 않으면 우리 몸은 그제야 숨어있던 갖가지 좋은 호르몬들이 뿜어져 나와 몸을 젊고 건강하게 치유하기 시작한다.

또한 가짜 배고픔을 모두 걸러내고 비로소 몸이 원하는 진짜 배고픔과 만날 수 있게 된다.

1일 1식을 매일 하기는 힘들겠지만, 할 수 있는 선에서 최대한 많이 경험해 봐야 인슐린다이어트를 마스터할 수 있다.

언제든지 '오늘 하루는 좀 비워볼까' 하면서 1식을 아무렇지 않게 할 수 있다면, 어느 정도 상급 레벨에 오른 것이라 볼 수 있다.

이걸 마스터해놔야 늦은 모임 같은 어쩔 수 없는 위험한 상황 속에서 언제든 우리 몸을 구출해 내고 방어할 수 있다.

이상한 나라의 다이어트

하루 1식과 인슐린다이어트가 조금은 불편하고 어색할 수 있지만, 그 가치와 필요성은 내가 아닌 여러분의 몸이 대신 깨닫게 해 줄 것이다.

술은 죄가 없다

　모두가 나는 완벽한 식습관을 유지하고 있을 거라고 생각하지만, 나 역시도 끊지 못하는 것이 딱 하나 있는데, 그건 바로 '술'이다

　술 자체를 그리 좋아하진 않지만, 사람들하고 만나 와자지껄 떠드는 그 분위기를 너무나 좋아한다.

　술은 새로운 사람들과 금방 가까워질 수 있게 만들어 주고, 틀어진 관계를 다시 복구시켜 주는가 하면, 기쁨을 나눠 배가 시킨다거나 슬픔을 나눠 축소시켜 주는 등 술이 가진 마법이란 정말 놀라운 결과들을 만들어 내는데, 그 매력에서 벗어나기가 좀처럼 힘들다.

　그래서 나는 이제껏 술자리를 거절한 경우가 거의 없었고, 지금도 일주일에 한두 번 정도는 술을 즐긴다.

　하지만 나처럼 술자리를 좋아하는 사람이 있는 반면, 어쩔 수 없는 사회생활이나 사업상으로 인해 술자리를 가져야 하는 입장

인 경우도 꽤 많을 것이다.

그리고 이런 대상자의 경우 아랫배가 묵직한 술배를 가지고 있는 경우가 일반적이다.

그러면 이번엔 이런 술배를 방어할 수 있는 방법에 대해 한번 얘기해 보겠다.

같은 자리에서 필자와 술을 마시는 사람들이 나에게 공통적으로 갖는 세 가지 의문점이 있는데 자랑으로 들릴 수도 있겠지만, 어차피 여러분도 가게 될 최종 목적지이기도 하다.

그 의문점 1번은 저 사람은 어떻게 저렇게 마셔도 취하지를 않느냐는 것이고 2번은 저 사람은 어떻게 술을 저렇게 먹어도 살이 찌지 않느냐는 것이고 3번은 저 사람은 어떻게 저렇게 먹고 다음날 아무렇지 않을 수가 있냐는 것이다.

매번 나는 술자리가 끝나면 끝까지 남아 맨 마지막 사람까지 대리기사나 택시를 잡아 귀가시키는 역할을 맡아서 그런지 술자리에 호출을 많이 당하는 편이다.

그런데 이런 능력들은 감량을 마스터하기 전에는 감히 상상할 수도 없는 일들이었다.

한 병만 넘겨서 마시면 푹푹 쓰러져 자기 일쑤였고, 며칠만좀 연속으로 마셨다 하면 바로 어김없이 불룩해진 배와 함께 바로 2~3킬로 증량을 겪어야 했으며, 술 먹은 다음날은 숙취 때문에 저녁까지 일어나지 못해 하루를 통째로 날리는 일도 빈번했다.

내가 내 몸에 다이어트를 실험하면서 '이게 좋은 다이어트다, 아니다'를 확실히 구분 짓게 하는 기준점이 하나 있다.

이 기준이 없다면 내가 주장하는 방식이 살이 빠졌다 해도 건강해졌다는 게 입증되지 않았기 때문에 결코 바람직하다고 판단할 수 없기 때문이다.

그런데 건강해졌다고 구분할 수 있는 나의 기준점은 황당하게도 바로 술이다.

각종 정확한 의료검사기기가 알려주는 수치들에 비하면 말도 안 될 만큼 투박한 방식일 수 있지만, 또 이것만큼 당사자가 즉각적이고 확실하게 느낄 수 있는 방법 또한 없을 거라 생각한다.

그리고 이건 술을 좀 마셔본 사람이라면 어느 정도 공감할 수 있을 것이다.

분명 많이 마셨는데 다음날 가뿐하게 일어났다면 요즘 몸이 좀 좋아졌나? 하고 느끼게 되고 별로 안 마셨는데도 쓰러져 잔다거나 다음날 일어나기가 힘들어진다면 건강을 걱정하게 된다.

특히 나이가 들면 가장 먼저 술 체력이 떨어지는 느낌과 동시에 건강에 대한 불안함을 느끼며 서둘러 몸에 좋은 것들을 찾기 시작한다.

이렇게 술은 한편으로 우리의 건강상태를 즉각적으로 알려주는 좋은 척도가 돼주기도 한다.

우선 술에 대해 조금만 자세히 알아보도록 하자.

주위에 술을 많이 먹는 주당인 사람들을 보면 대체적으로 아랫배에 두툼한 튜브를 둘렀거나 전체적으로 살집이 좀 있어서 덩치가 있는 체형을 가졌다.

그런데 당사자들도 술 때문에 살이 찌고 배가 나온다는 건 알고 있는데, 정작 왜 찌는 건지 그 이유는 정확히 잘 알지 못하고 있다.

술만 먹었다 하면 찌는 건 확실하니 '심증'은 있지만 확실한 물증은 없는 상황이다.

하지만 여기서 술의 입장은 좀 억울할 수 있다.

술이 체내에 들어가는 순간 우리 몸은 술을 오로지 밖으로 배출해야만 하는 독소로 인식하기 때문에 결코 몸에 저장이 되지 않고, 소변이나 그 외의 방식들을 통해 밖으로 쫓겨나야만 하는 녀석이다.

그럼 도대체 왜 찌는 걸까?

그건 바로 같이 먹는 안주 때문이다.

살을 찌게 하는 주범은 바로 이 안주다.

아니 아무리 그래도 어떻게 고작 안주 따위가 그렇게 금방 배가 나오게 하고 살을 찌울 수가 있는 거냐며 의아해 할 수 있겠지만, 예전에 언급했던 공식처럼 인간의 대사가 가장 활발한 시간이 낮 12시에서 저녁 6시까지라고 했던 기억이 있을 있을 것이다.

그런데 술은 언제 먹는 음식일까?

그렇다.

술은 일반적으로 저녁 6시 이후에 먹는 음식이다.

6시는 고사하고 밤 10시를 넘어 새벽까지 마시는 경우도 허다

하다.

그럼 당연히 술의 뒤를 따라서 안주도 당연히 그 시간에 먹을 수밖에 없다.

그럼 6시 이전에만 먹으면 되겠다고 생각할 수도 있지만, 그건 '낮술'이라는 우리에겐 아직 평범하지 않은 낯선 시선의 카테고리로 분류된다.

우리가 저녁 6시 이후로 먹는 음식은 모두 살로 간다고 생각해도 무방하다고 했던 것처럼 몸의 대사가 느려지면, 그만큼 먹은 음식물이 체내 장기 속에 체류하는 시간이 길어지게 되고, 길어진 만큼 모두 살로 바뀔 수 있는 위험에 노출된다고 생각해도 무방하다.

거기다 술안주들은 대부분 지방함량이 높거나 달거나 매우 짠 자극적인 음식들이 주를 이룬다.

거기다 확실한 결정타는 술안주는 장기전으로 먹는다는 것이다.

2~3시간은 기본이고 2차, 3차까지 무려 5시간을 넘기기도 하는데, 이 긴 시간 동안 평소와 다른 상당한 양의 음식을 꾸준히 마라톤처럼 먹게 된다.

그런데 이건 소화기관의 입장에서 볼 때는 큰 대형사고나 마찬가지라고 볼 수 있다.

결론적으로 술을 먹기 위해선 안주가 필요하고, 안주를 먹기 위해선 저녁이나 밤시간에 먹을 수밖에 없는 데다 장시간동안 오래 섭취하기 때문에 술에 의한 체중증가는 어쩔 수 없는 운명이라고 볼 수 있다.

술은 이렇게 해결하기 힘든 아이러니를 갖고 있다.

살 찌우는 주범 2번은 술을 마시고 바로 자는 습관이다.

술을 마셨더라도 어느 정도 배출을 하거나 소화를 시키고 난 다음 잠에 들어야 하는데, 곧바로 잠들어 버리면 엎친 데 덮친 격으로 그나마 느려진 대사가 더욱 느려지게 된다.

그럼 어떤 현상이 일어날지 상상이 가는가?

독을 몸밖으로 배출하지 않고, 그대로 자는 내내 체내에 품고 있는 거라고 생각해도 무방하다.

알코올 역시 음식과 같이 빨리 배출시키지 않으면, 결코 몸에 이로울게 없다.

이런 경우는 평소 때 보다 더욱 안 좋은 영향을 끼치게 되며 다음날 몇 배가 훨씬 뻥튀기된 폭풍숙취와 만나게 된다.

아마 술을 마시고 난 뒤 노래를 부른다거나 어떤 레포츠를 즐긴 다음에 잠에 들면, 다음날 훨씬 좀 개운하고 멀쩡하게 일어난 경험이 있을 것이다.

이는 소변과 땀으로 충분히 술의 독소를 배출하거나 분해시킨 뒤에 잠에 들었기 때문이다.

결론적으로 술을 마신 뒤 바로 침대에 눕지 말고 최소 2~3시간은 충분한 소화와 배출을 시켜준 뒤 잠에 들어야 한다.

하지만 대부분 만취를 하게 되면, 바로 쓰러져 잠들 수 있기 때문에 애초에 폭주를 하지 않는 습관부터 먼저 선행되어야 할 것이다.

이 부분은 직접 실험을 통해 각각의 경우를 체험해 보면서 실제 차이를 느껴보는 것도 좋은 방법이다.

살찌우는 주범 3번은 '일시적인 저혈당 상태'이다.

술이 몸 안에 갑자기 들어오면 간은 평소하던 일을 멈추고 술을 해독하는 일을 먼저 해야 하는데, 기존에 하던 본업을 잠시 멈추게 되면 일시적으로 우리 몸의 혈당이 떨어지게 되고 이때 우리몸은 생존방어본능에 의해 혈당을 다시 끌어올리라는 신호를 보내며 평소와는 차원이 다른 극심한 허기를 느끼게 된다.

그래서 다음날 보통 해장이라는 정당한 명목하에 음식을 폭풍 흡입하게 된다.

거기다 대부분의 해장음식들이 국물형태라서 탄수화물을 씹지도 않고 그대로 술술 삼켜버리는 참사가 벌어지기도 한다. 우리 몸에 들어온 탄수화물을 분해할 때는 씹는 저작활동을 통해 분비되는 침의 아밀라아제가 큰 작용을 하는데, 이 소화제가 없으면 결국 췌장을 혹사시키며 소화제를 뽑아내야 하고 부족한 소화제 때문에 우리가 먹은 음식물은 영양소가 아닌 장내의 쓰레기와 독소로 변신할 확률이 높아진다.

문제는 이 허기가 그날 한 번으로 끝나지 않고 잠에 들기 전까지 계속 몇 번에 걸쳐 지속된다는 점이다.

이때 당사자는 자신도 깨닫지 못한 채 평소보다 많은 음식을 필요 없이 섭취하게 되는데, 이렇게 술 마신 다음날의 강한 허기

이상한 나라의 다이어트

때문에 폭풍흡입한 해장음식은 전날에 밤새 먹었던 폭풍안주와 함께 합체를 해서 크나큰 태풍을 만들게 된다.

 자 이렇게 밤에 먹어서 찌우고, 바로 자서 더 찌우고, 다음날 해장까지 하면서 쓰리콤보로 찌우니 평소 먹는 음식들보다 두 배, 세배로 찔 수밖에 없는 이유가 충분하지 않을 수 없다.

 이에 대한 대비책을 정리해 보자면 첫째, 술을 마실 때 안주는 최대한 적게 먹어야 한다. 물론 너무나 어려운 일이겠지만, 최대한 술과 밸런스를 맞춰가며 안주의 역할만 할 수 있도록 양을 가볍게 축소시켜야 한다.

 두 번째, 술을 마신 다음에 최소 2~3시간은 소화를 시키고 잠자리에 들어야 한다.

 직장에 다니는 경우, 다음날 출근시간 때문에 쉽지 않겠지만, 최대한 버틸 수 있는 데까지 버틴 다음 취침을 하는 게 오히려 다음날 숙취가 희석되기 때문에 버틴 시간만큼 득이 된다.

 셋째, 다음날엔 무리한 해장을 금지하고 1식을 해야 된다.

 이 세 번째가 가장 힘들 수 있을 텐데, 이때 느끼는 허기는 평소 일반적인 허기보다 그 크기와 지속성에서 큰 차이가 있기 때문이다. 일시적 저혈당으로 인한 심한 가짜배고픔이며 어젯밤에는 평소 먹어왔던 음식보다 훨씬 더 많은 양의 음식을 먹었기 때문에 이미 몸에는 아직 소화되지 않은 충분한 음식이 있다는 걸 반드시 인지해야만 한다.

다음날의 허기는 반드시 가짜 배고픔이라는 인식을 하고 PC나 온수를 통해서 극복을 해야 한다.

허기가 느껴지는 초반을 PC로 몇 번만 지나 보내며 방어를 해보면, 어느 순간 배고픔이 거짓말처럼 말끔히 사라지게 되는데, 진짜 필요 없는 가짜 배고픔이 얼마나 무서운 건지 깨닫게 될 것이다.

술을 마신 다음날은 반드시 '1식'을 해야 한다.

술을 마셨다면 이미 대사가 느린 시간에 음식을 섭취한 것이니 16시간 이상을 넉넉하게 비워줘야 한다는 조건이라면 계산상 다음날 허용되는 식사시간은 한 끼밖에 되지 않는다.

어젯밤 한바탕 전쟁을 치른 위와 장에게 비워낼 수 있는 충분한 휴식시간을 주지 않는다면, 우리의 소화기관은 여러분에게 어김없이 묵직한 체중을 선사 줄 것이다.

이 세 가지만 지킨다면 여러분이 이제껏 술로 인해 입었던 내상을 최소화하며 건강을 지킬 수 있고, 증량에 대한 두려움 없이 술을 보다 편하게 즐길 수 있을 것이다.

더군다나 술 먹은 다음날 숙취로 인한 요양 때문에 하루를 통째로 날려버리는 불상사를 겪지 않고, 인생의 하루를 고스란히 돌려받을 수 있다면, 이 또한 어마어마한 가치가

아닐 수 없을 것이다.

마지막으로 대부분 술이 사람들의 몸에 안 좋은 영향을 끼치

이상한 나라의 다이어트

는 것도, 필자가 이렇게 술에 잘 버티는 것도 모두가 복부 때문이다.

복부가 막혀있으면 어떤 음식이든 술이든 원활하게 배출이 되지 않는다고 생각해도 무방하다.

술 앞에 장사는 없다고 하지만, 건강하고 튼튼한 장은 분명 술의 머리 위에 있다고 감히 말할 수 있다.

이 사례 역시 이해가 잘 안 되겠지만, '완전한 감량'을 한다면 전날 소주 다섯 병을 마신다 해도 다음날 아침에 가볍게 일어나서 숙취 없이 등산을 가서 20명의 등산인원 중 1번으로 정상에 도착하는 말도 안 되는 일을 경험할 수 있는데, 이건 필자가 감량을 마스터한 후 처음 술을 마신 다음날 겪었던 소름이 끼쳤던 실제 경험담이다.

다이어트의 기초공사 공복수면이란?

이제 유지 부분도 마지막 과제만 남았다.

이 부분도 상당히 중요한 내용이니 결코 소홀히 하지 말고, 마지막까지 모두 알차게 담아두기 바란다.

대부분의 대상자들이 간과하는 것이 있는데, 다이어트를 진행할 때 수면은 그렇게 크게 신경을 쓰지 않는다는 것이다.

하지만 수면은 TV를 켜기 위해 꽂아야 하는 콘센트와 코드처럼 체중감량과 상당히 밀접한 관계를 가지고 있다.

감량을 진행하는 대상자들이 가끔 원인 모를 정체기를 겪는 경우가 있어서 역으로 추적해 보니 공통적으로 발견된 문제점 중의 하나가 바로 수면이었다.

대체적으로 숙면을 못 취하는 경우 감량이 더디게 진행되는데, 자신은 언제나 숙면을 취하고 있다는 착각을 하는 경우가 생각보다 많아서 그걸 발견한다는 일이 그리 쉽지만은 않다.

면밀히 조사해 보면, 그 수면의 질이 상당히 좋지 않은 경우가 많은데, 만약 해가 지기도 전에 한 번이라도 하품을 하거나 책상 위에 엎드리고 싶은 피로를 느꼈다면, 이미 숙면을 취했다고 보기가 어렵다.

그리고 밤에 한 번이라도 화장실을 가기 위해 깨어났다면 그역시 숙면이라고 볼 수 없다.

숙면은 고사하고 오랜 기간 불면증을 앓고 있는 사람도 많다.

불면증 역시 아직 현대의학이 뚜렷하게 해결하지 못한 고질병이라고 할 수 있는데, 늘 그래왔듯 대부분의 원인을 스트레스와 불규칙한 생활이라고 말하고 있지만, 십 수 년간 불면증을 겪어 본 필자의 입장과 수많은 사람을 감량시켜 본 데이터에서는 원인이 단 한 가지 뿐이라고 얘기하며 그건 누구나 예상하듯 또 음식이다.

우리는 현재 음식을 아무리 골고루 챙겨 먹는다고 해도 영양부족에 시달릴 수밖에 없고, 실제 많은 영양을 섭취한다고 해도 비만인 상태에선 이미 제대로 흡수되기 어려운 내부구조가 형성 돼있기 때문이다.

그러니 불면증을 없애고 숙면을 취해야만 비만이 해결되고, 비만을 해결함으로써 더더욱 깊은 숙면에 취할 수 있는 좋은 과정을 반복할 수 있다.

좀 더 심도 있게 들어간다면, '뇌장축'이라는 개념으로 우리의 뇌와 장은 서로 하나처럼 긴밀하게 연결되어 있어서 만약 장건강이 좋지 않다면 동시에, 뇌도 건강하지 못해 수면에 영향을 받을 수 있는 구조를 가지고 있다. 이런 부분은 우리가 평소 뇌활동을 하는 매 순간에도 적용되는데, 장 건강은 우리가 평소에 내리는 뇌의 판단에까지 직, 간접적으로 영향을 주게 되는데, 이렇게 소름이 끼칠 정도로 장과 뇌는 서로 긴밀하게 하나로 연결돼 있다고 볼 수 있다.

어느 정도 비만과 불면증을 같이 가지고 있는 대상자들의 경우 약간 독특한 수면습관을 가지고 있는 경우가 있는데, 첫 번째로는 반드시 배가 부른 상태에서만 잠을 청하려고 한다는 것이다. 이런 대상자의 경우 배가 꺼져서 출출해지면 잠에 들기가 꽤나 힘들기 때문에 그전에라도 일찍 잠에 들려고 노력하는 경우가 많다.

그 타이밍을 놓치면 수면제를 먹는다 해도 좀처럼 잠에 들기가 어렵기 때문에 또다시 음식을 먹어서 식곤증의 힘을 빌어서라도 잠을 자야 하는 악순환을 반복하게 된다.

두 번째는 중간에 화장실에 가기 위해 한번이라도 깨게 되면 좀처럼 다시 잠들기가 힘들기 때문에 많게는 하룻밤을 몇 번에 걸쳐 나누어 잔다는 공통점을 갖고 있다.

이런 경우 대부분 다음날 하루 종일 피곤함을 느끼는 만성피로를 갖고 있다.

많은 대상자들이 속이 든든한 상태에서 잠을 청하길 좋아하지만, 이는 결코 좋지 않은 습관이다.

우리 몸은 소화과정이 진행 중일 때는 숙면을 취할 수 없도록 설계돼 있으며 공복인 상태에서만이 숙면을 취할 수 있는 호르몬이 분비가 되기 때문이다.

특히 대상자들 같은 경우 대체적으로 숙면을 취하기가 어려울 수밖에 없는 여러가지 체질적인 구조를 가지고 있는데, 이렇게 숙면을 취하지 못하면, 그게 잠재적인 스트레스로 축적이 되어 평소보다 더 큰 허기를 느끼게 되고, 결국 감량에 큰 방해요소로 작용하게 된다.

그만큼 공복수면은 체중감량에 있어 가장 근간이 될 수 있는, 기초적인 텃밭을 다지는 일이라고 할 수 있다.

이 공사가 허술해 기반이 부실하면, 어떤 영양을 공급한다 해도 결과가 제대로 나오지 않게 된다.

실제로 스웨덴과 미국에서 실험을 통해 수면에 장애가 있는 성인의 경우 체내지방증가에 영향을 받게 된다는 연구결과가 나온 적이 있다.

마지막 식사를 마친 후 최소 5시간이 지나야 우리 몸 전체에 혈액이 공급되기 시작하는데, 이 시간부터 우리 몸이 숙면에 취할 수 있는 기본적인 준비상태가 된다고 보면 된다.

만약 저녁 6시에 식사를 마쳤다면 최소 11시 전까지는 잠자리에 들지 말아야 한다.

앞서 말했듯 일부러 식곤증에 의지해서 잠에 들려는 계산으로 저녁을 먹은 지 얼마 안돼서 일부러 잠자리에 드는 경우도 있는데, 이건 최악중에도 최악의 습관이라고 할 수 있다.

잠에 들기 전, 5시간의 공복은 체중유지를 위해서, 그리고 다음날의 상쾌한 컨디션을 위해서라도 유지해줘야 한다.

여러분이 잠들기 전에 비워주는 이 5시간과 잠을 자는 7~8시간의 숙면이 제대로 지켜져야 이 시간 동안 우리 몸의 체중이 자동적으로 감소가 되는 방향으로 원활하게 작용을 한다는 걸 알아야 한다.

이건 여러분이 직접 체중계 하나와 메모장만 놓고 간단하게 실험을 해봐도 확인할 수 있는 일이다.

공복수면에 적응하기 위해 2~3일 정도의 고생은 각오해야 하지만, 숙면을 한 번만이라도 경험해 본다면 전혀 새로운 세계의 컨디션을 느끼며 언제부턴가 공복을 기다리는 자신을 발견하게 될 것이다.

반드시 기억하자.

'공복에 잠을 청해야만 숙면과 만날 수 있다'

최종정리

이제까지의 내용들을 간단하게 압축, 정리해 보겠다.

1 – 감량공식

1) 주위환경을 통제한다.

– 주위환경 통제는 아무리 백 번 강조해도 지나치지 않고 아마 우리가 죽기 직전까지 계속해야 하는 일일 것이다.

가장 많은 탈락자들을 양산해 냈던 부분이라서 어쩌면 가장 풀기 힘든 영원한 숙제가 될지도 모르겠다.

2) 감량의 목적을 분명히 한다.

– 감량을 해야 하는 이유가 명확하지 않은 경우 대부분 실행력이 떨어지고, 흐지부지 끝나는 경우가 많았다. 일부러라도 꼭 해야만 하는 이유를 분명히 해둔 뒤 감량을 시작하길 권장한다.

3) 절대 비밀을 유지한다.

- 비밀유지는 제일 사소해 보이는 문제이면서도 가장 확실하게 무너지는 원인 중 하나다. 실제로 여기저기 공표하고 다녔다가 스스로 자멸했던 사례가 많았다는 걸 참고하기 바란다. 다이어트는 자신과 가장 가까운 사람을 1번으로 숨겨야 한다.

4) 스스로 진단하거나 편집하지 않는다.

- 스스로 진단하거나 편집해서 진행하려는 사람은 대체적으로 상대의 말을 무시하고 독단적인 행동을 많이 해서 좋은 결과를 만든 기록이 거의 없다. 절대 자신이 편한 대로 편집해서 진행하는 뷔페식 다이어트를 하지 않기 바란다.

5) PC를 생활화한다.

- PC는 아마 이 책에서 가져갈 수 있는 최고의 선물중의 하나가 될 것이다. 초반에만 잠깐 열심히 하다가 게을러지는 95%가 되지 말고, 꼭 항상 몸에 가까이 붙이고 살아가는 5%가 되길 바란다.

6) 텀블러를 항상 휴대한다.

- 텀블러의 온수는 이 프로그램을 진행하는 전체의 바탕색이라고 보면 된다. 어떤 색깔의 결과물을 만들지 이 텀블러의 온도에 의해 결정된다고 볼 수 있다. 물이 식으면 언제든 바로바로 교체할 수 있는 성실한 관리능력이 꼭 필요하다.

7) FMD는 최소한 30번을 씹은 후 천천히 삼킨다.

- FMD도 탄수화물이 포함되어 있는데, 이걸 소화시킬 수 있는 소화액은 오로지 침 속에 있는 아밀라아제뿐이라고 생각해도 무방하다. 침은 오직 씹는 활동을 통해서만 분비되는데, 씹는 저작활동 없이 그냥 삼켜버리면 최적의 소화흡수를 기대하기는 어렵다.

8) 18:6 공식을 지킨다.

- 섭취하는 시간을 체크해 가면서 계획적으로 조정하는 습관만 들여도 감량의 절반은 성공이라고 볼 수 있다.

18:6 공식은 평생공식이라는 점을 명심하기 바란다.

9) 배고픔을 건강으로 인식하라.

- 배고픔을 두려워하지 않고 오히려 건강을 위한 운동으로 인식하는 일이란 아마 인생에 있어 제일 힘들고 어려운 일이 될 수도 있지만, 무념무상 아무 생각 없이 매뉴얼대로 꾸준히 반복해서 진행하기만 한다면, 아마 변화된 몸이 이것 저것 깨달음으로 증명을 시켜주면서 올바른 길을 우리에게 가르쳐 줄 것이다.

10) 반드시 알람을 맞춰놓고 진행한다.

- 알람을 맞춰놓는 사람과 안 맞춰놓는 사람의 성적은 절대적으로 어김없이 큰 차이를 가져왔다. 자신을 너무 과신하지 말고 아주 사소한 것이라도 반드시 알람을 맞춰놓고 진행하기 바란다.

2 - 유지공식

1) 밀가루 음식을 최대한 금지한다.

- 밀가루음식은 우리가 섭취하는 전 식품에 너무 광범위하게 첨가돼 있어 완전히 금지한다는 것은 거의 불가능에 가깝지만, 점진적으로 조금씩 줄여나가길 권장한다. 필자는 부끄럽지만 라면만 부분적으로 허용하고 거의 차단을 시켜놓은 상태다. 어쩔 수 없이는 먹어도 절대 찾아서는 먹지 말라는 얘기를 해주고 싶다. 밀가루 똥배라는 책을 권장하는데, 이 책 한 권만 읽으면 가족의 수명이 각자 최소 10년씩은 연장될 거라는 건 직접 읽어보면 알게 될 것이다.

2) 인슐린 다이어트를 정복한다.

- 인슐린 다이어트는 PC 다음으로 큰 선물이 될 것이다. 인슐린을 자유자재로 다룬다는 건 결국 몸을 자유자재로 다룬다는 것과 마찬가지라고 볼 수 있다. 아침과 점심시간을 충분히 잘 활용해서 인슐린을 깨우지 말고 끝까지 재워보기 바란다.

3) 술을 마셨을 때 방어매뉴얼을 꼭 지켜나간다.

- 유지기간 중에 술을 마시게 되면 어느샌가 술에 상당히 강해져 있는 자신을 발견하게 될 것이다. 하지만 거기에 도취되어 습관적으로 마신다면 몸도 어느 순간 냉정하게 돌아설 것이다. 본능에 휩쓸리지 말고 언제나 침착한 이성으로 술과 안주를 통

제하기 바란다.

4) 배고프지 않으면 절대 먹지 않는다.

- 이 문구는 누군가 나에게 어떻게 하면 살이 빠지는 거냐고 물을 때마다 1초의 망설임 없이 가장 먼저 대답하는 말이다. 어쩌면 다이어트의 기본 중에서도 가장 기본이라고 할 수 있을 것이다. 당연히 평생공식으로 가슴에 새겨놓고 살아야 된다.

5) 늦은 시간에 과식을 하거나 안 좋은 음식을 먹었을 땐 그만큼 충분히 오래 비워준다.

- 우린 언제나 불시의 상황에 대비할 수 있는 능력을 키워야 한다. 그런 경우, 대처를 소홀히 해서 대충 넘겨버리면, 그에 따른 후폭풍은 반드시 돌아오게 된다. 안 좋은 음식을 먹었을 때 충분한 배출을 하지 않고 또다시 음식을 섭취한다면, 장은 장대로 막혀서 쌓이고 잔뜩 내려놓은 인슐린은 다시 터지기 시작하면서 지독한 괴로움을 안겨 줄 것이다.

6) 가벼운 근력운동으로 몸을 만들어놓는다.

- 유지단계에선 헬스클럽에 가서 가볍게 근력운동 하는 걸 권장한다. 감량한 상태에서 몸을 근육으로 예쁘게 다잡아 놓으면 그 몸에 애착을 갖고 유지하기 위해서라도 늘 긴장감을 가지며 **관리하게 된다.**

7) FMD 식을 늘 일반식과 적당히 섞어서 유지시켜 나간다.

- 감량단계가 끝났다고 당장 FMD를 놓아버리면 안 좋은 결과와 만날 수 있다. 힘껏 당겨진 고무줄에 감아놓은 실을 풀어버리는 꼴이 되기 때문에 몸에 급격한 충격이 올 수도 있으니 반드시 유지 한 달간은 하루에 한 끼씩이라도 일반식과 섞어서 진행하기 바란다. FMD는 식사와 영양제를 동시에 섭취할 수 있는 전천후식품이다.

8) 냉수를 멀리하라.

- 찬 냉수는 비만의 지름길이라고 생각해도 무방하다. 특히 기름진 음식을 먹은 후에 찬 음료나 맥주를 마시면 그대로 장속에 기름이 응고된다고 생각해도 무방하다. 언제나 온수를 마시는 게 원칙이지만, 힘들다면 미지근한 온도라도 만들어야 하고 찬물은 절대 금지해야 한다.

9) 첫끼와 두 끼의 사이 간격을 최소 5시간으로 벌린다.

- 첫끼와 두 끼 사이의 간격을 최소 5시간으로 벌리고 중간에 땅콩 한 알이라도 먹지 않아야 섭취한 장의 음식이 밀리지 않고 원활한 소화활동을 할 수 있다.

10) 공복수면을 지킨다.

  – 마지막 음식을 섭취한 시간부터 최소 5시간이 지난 뒤에 잠을 청하는 공복수면을 꼭 지켜야 식욕이 줄어들고, 몸이 감량을 하는쪽으로 원활한 활동을 하며 내일 하루가 상쾌할 수 있다는 점을 명심하기 바란다.

이상한 나라의 경계선을 넘어서다

이렇게 이상한 나라의 이야기는 모두 끝이 났다.

이렇게 1개월 동안 감량을 성공시키고 그 감량된 체중을 다시 1개월 동안 유지한다면, 비로소 모든 걸 마스터했다고 말할 수 있을 것이다.

그 정도라면 이미 5%의 외계인 같은 체질이 완성돼 있을 것이다.

여기까지 무사히 완주한 사람이 있다면, 그 사람은 이미 이상한 나라의 경계선을 넘어섰다고 할 수 있고, 그때부턴 반대로 기존의 현실세계를 나처럼 이상한 나라로 보게 될 것이다.

다이어트는 결국 본인의 선택인데 그건 바로 내가 하루동안 느낄 수 있는 맛의 크기를 결정하는 일일 뿐이다.

매일같이 하루종일 다채롭고 풍요로운 맛의 향연을 선택할 건지 아니면 나 자신을 위해 다소 절제되고 관리된 맛을 선택할 것인지 오로지 그 문제만 선택하면 되는 일이다. 쉽게 말해 방금 TV에 나온 광고를 보고 당장 치킨을 주문할건지 아니면 내 몸을 위해 조금 참았다가 내일 먹을지를 결정하는 일일 뿐인 것이다. 물론 전자처럼 그 치킨의 바삭하고 고소한 맛에서 느끼는 당장의 행복함을 무시할 순 없지만, 후자는 어차피 내일이나 모레나 내 인생에서 치킨은 언제든 먹을 수 있는 음식이기 때문에 내 몸을 위해 잠시 여유롭게 보류해 두는 것일 뿐이다. 전자는 나의 외모와 건강 혹은 더 나은 미래를 포기하고 당장의 행복함을 선택하는 것이고, 후자는 외모와 건강을 위해 당장의 행복함을 잠시 미뤄놓는 것일 뿐이다.

다시 한번 강조하지만 절대, 결코 어차피 굶으면 다 빠진다는 단순한 생각은 하지 않길 바란다.

물론 방식은 놀랄 만큼 단순할지언정 앞에서 언급했던 조건들을 갖춘 FMD라면, 여러분은 이미 일류의 과학자들이 피땀 흘려 만든 최첨단 과학을 먹는 것이라는 걸 충분히 인지하고 있어야 한다. 그런 과학의 고마운 혜택을 하찮게 생각한다면, 그 대상자에겐 PC든, 온수든, FMD든, 어차피 거기서 거기인 다이어트라고밖에 생각하지 못하고, 결국 영원히 비만이나 건강과는 멀리 떨어진 삶을 살아야 할 것이다.

이 책의 최종 목적은 '안전하고 건강하게 감량을 이룬 뒤 그 감량된 체중을 오래도록 유지해 나가는 것'이라고 정의 할 수 있다.

　그걸 실현시킬 수 있는 최종 실력은 하루에 1끼만 먹어도 전혀 힘들거나 부담이 없는 수준에 도달하는 것이라고 할 수 있고, 좀 더 나아가서는 배고프지 않으면 아예 하루를 통째로 비우거나 FMD를 능숙하게 다루는 것이라고 말할 수 있다.

　걱정이나 조바심에 의해 의무적으로 먹는 행위를 하지 않고, 진짜배고픔과 만났을 때만 먹는 것이다.

　우리 몸은 분명히 우리에게 언제 먹어야 한다는 신호를 명확하게 보내주고 있기에 그 정보를 얼마나 올바르게 해석하느냐에 따라서 여러분 인생의 전체체중이 결정되어 진다고 보면 된다.

　어차피 인슐린 다이어트까지 마스터했다면 일반사람에 비해 배고픔이 현저히 줄어들었을 뿐만 아니라 맛에 대한 갈증지수도 어느 정도 낮춰져 있기 때문에 모든 부분에서 전방위적으로 통제가 가능할 것이다. 거기다 FMD를 언제든 유령의 끼니로 보조해서 대체할 수 있다면, 어떤 상황이든 전혀 어려울 게 없을 것이다.

　아무리 노력해도 어떤 특정음식을 보고 참지 못한다거나 먹고 안 먹고의 문제를 내가 선택할 수가 없다면, 아직 이 수준에 도달하지 못한 것이라고 볼 수 있다.

　만약 저녁에 모임이 있다면, 그날 모임 전까지 하루를 통째로 비우거나 FMD로 끼니를 대신한 뒤 참석하는 정도의 관리능력과 설계가 필요하다.

하지만 아무리 이렇게 힘들게 외계인의 체질까지 만들어서 관리하고 노력한다 해도 주위환경은 끊임없이 여러분을 괴롭히며 가만히 놔두진 않을 것이다. 어차피 외계인은 지구인들의 삶 속에서 홀로 자신의 비밀을 숨기며 살아간다는 게 너무나도 외롭고 고독한 일이기 때문이다. 실제로 저 수준까지 도달한 사람이라면, 저 '외계인의 외로움과 고독함'이란 게 무슨 말인지 언젠가 깨닫게 될 것이다. 그리고 이제까지 여러분의 양쪽 어깨를 움켜잡고 세차게 흔들며 부르짖었던 이 책의 신선했던 기억도 언젠가는 조금씩 서서히 잊혀갈 것이다. 통계상으로 볼 때 짧게는 1년, 길게는 2년까지는 어느 정도는 몸이 알아서 유지시켜줄 것이다. 그러니 노파심이지만 이 책은 버리지 말고 언젠가 한 번쯤은 꺼내볼 수 있을만한 장소에 보관하기를 권장한다.

물론 필자가 펼쳐놓은 이 이상한 나라의 공식이 모두 완벽하다고 주장하고 싶진 않고, 또 다른 어떤 전문가들의 공격을 받으며 기나긴 싸움을 해야 할지도 모르지만, 현재로선 지금 이 책의 공식이 비록 짧은 지식이지만, 수많은 논문과 책을 뒤져가며 쏟아부은 나의 시간과 나와 함께했던 대상자들의 피투성이가 된 몸이 말해줄 수 있는 최선의 결론이라고 생각한다.

그리고 정말 대상자들을 진심으로 생각하는 어떤 전문가라면, 나는 언제라도 그들의 지적을 오히려 반가워하며 재미있는 대화를 하려 할 것이다.

내가 진행하며 발견하게 된 신체의 놀라운 시스템 중에 하나는 다이어트에 필요한 최첨단 장치나 기구들은 이미 우리 몸 안에 들어있었다는 것이다.

심지어 내가 이제껏 만나보지 못했던 세계 최고의 의학박사들이 나 뿐만 아니라 이미 대상자들의 몸 안에 각자 들어있었다.

단지 많은 사람들이 움직이는 법을 모르는 것뿐이었다.

이 장치가 얼마나 대단하냐면, 비만 따위는 아무 일도 아니라는 듯이 살을 빼버리고, 절룩거리던 사람을 제대로 걷게 만들고, 십 수년 먹어오던 혈압, 당뇨 약을 끊게 만들고, 불임부부를 임신하게 만들고, 수년간 멈췄던 생리를 다시 시작하게 만들고, 20년 넘게 앓아오던 불면증도 고쳐주는 기적과도 같은 일들을 만들어낸다.

그 외 탈모나 불면증, 지방간 같은 자질구레한 지병들은 그냥 보너스처럼 우습게 사라지게 만든다.

이 정도면 이제껏 그 누구도 만나보지 못했던 최고의 의학박사라고 부를 수 있지 않을까?

여기까지 얘기하면 황당한 표정으로 비웃는 사람들도 있겠지만, 실제로 진행해 본다면, 방금 이 어처구니없는 사례들이 본인에게도 하나둘씩 현실로 나타나는 걸 목격하게 될 것이다.

이렇게 우리는 우리 몸을 이용해 충분히 자체적으로 개선할 수 있는 것들이 많은데도 많은 사람들이 아직도 어떻게든 편한 방식만을 찾아 바깥으로만 돌아다니고 있는 안타까운 상황인 것이다.

글을 마무리하며….

지난 수년간 겪어왔던 순간들이 주마등처럼 스쳐 지나간다.

여기저기 논문을 뒤적이며 연구하고 고뇌하고, 새로운 방식이 나올 때마다 먹어보고 기록하면서 다른 사람들을 빼줄 땐 서로 싸우기도 했다가 성공했을 땐 서로 얼싸안고 웃으며 기뻐하고…… 이 글 속엔 실제 수많은 대상자들의 눈물과 애환이 고스란히 담겨있다.

그러니 최소한 매일같이 걸러야 할지 말아야 할지 고민해야 하는 그저 그런 가벼운 글로만 보지 않았으면 하는 바람이다.

지금 여러분 옆에 온수가 있다면 더할 나위 없이 기쁠 것 같다. 그리고 FMD까지 찾아서 준비해 놨다면, 이제 이 책의 손을 잡고 안내해 주는 길을 따라가기만 하면 된다. 그럼 여러분도 이상한 나라의 토끼굴에 빠져서 여러 가지 이상하고 신기한 모험을 한 뒤 결국 비로소 하얀 여왕과 만나게 될 것이다.

매일 아침 거울을 보며 그게 여러분의 진짜 얼굴이라고 생각하지 않길 바란다.

우리의 진짜 얼굴은 불과 1cm도 안 되는 얼굴 안에 숨겨져 있다.

부디 여러분의 진짜 얼굴을 찾길 바란다.

진짜 얼굴을 찾아서 새로운 인연을 만나고, 새로운 기회를 얻고, 새로운 관심과 사랑을 받으면서 온종일 사람들 속에서 환하게 웃고 떠들면서 행복을 느끼길 바란다.

그래서 나의 첫 회원처럼 여러분도 조금은 다른 재밌는 삶을 살았으면 한다.

부디 실행하길 바란다.

만약 이 책을 들고 있는 사람을 길에서 우연히라도 마주친다면, 어떻게 진행하고 있는지 몇 시간이라도 의논하고 상의하며 점검해 줄 것이다.

그리고 우린 서로 운이 좋았다는 얘기도 해줄 것이다.

이상한 나라의 다이어트

전문가가 알려주는 '진짜' 다이어트 비법

발행일 2024년 6월 17일

지은이 다이아트
펴낸이 마형민
기획편집 조도윤 신건희
디자인 김안석
펴낸곳 (주)페스트북
주소 경기도 안양시 안양판교로 20
홈페이지 festbook.co.kr

ISBN 979-11-6929-511-6 03190
값 16,000원